C.H.BECK ■ WISSEN

in der Beck'schen Reihe

2012

Klaus Bringmann legt eine in der Klarheit der Thesen und der Argumentation bestechende Kurzfassung der römischen Geschichte vor. Er führt den Leser von den kleinsten Anfängen Roms zu dessen frühen außenpolitischen Auseinandersetzungen, der Krise der Republik, der Entstehung des Kaiserreiches, seinen organisatorischen, wirtschaftlichen, gesellschaftlichen und religiösen Problemen bis hin zu den Reformversuchen der Spätantike. Er schildert die Christianisierung, die Völkerwanderung, den Zusammenbruch des Westens und die östlichen Restaurationsbestrebungen. Ein Ausblick auf das fortlebende Erbe Roms beschließt diesen leicht und verständlich geschriebenen Überblick.

Klaus Bringmann, Jahrgang 1936, ist Ordinarius für Alte Geschichte an der Universität Frankfurt/Main. Zuvor lehrte er Klassische Philologie an der Universität Marburg und Alte Geschichte an der TH Darmstadt. 1987/88 und 1993/94 war er 'Visiting member' am Institute for Advanced Study in Princeton/USA. Er ist Mitglied des Deutschen Archäologischen Instituts. Seine Forschungsschwerpunkte bilden römische Republik und Kaiserzeit, die Geschichte des Hellenismus, die Geschichte der Juden in hellenistischer und römischer Zeit sowie das Christentum im Römischen Reich.

Klaus Bringmann

RÖMISCHE GESCHICHTE

Von den Anfängen
bis zur Spätantike

Verlag C.H. Beck

Mit 4 Karten

Die Deutsche Bibliothek – CIP-Einheitsaufnahme

Bringmann, Klaus:
Römische Geschichte : von den Anfängen bis zur Spätantike /
Klaus Bringmann. – Orig.-Ausg. – München : Beck, 1995
  (Beck'sche Reihe ; 2012 : Wissen)
  ISBN 3 406 39377 2
NE: GT

Originalausgabe
ISBN 3 406 39377 2

Umschlagentwurf von Uwe Göbel, München
© C. H. Beck'sche Verlagsbuchhandlung (Oscar Beck), München 1995
Gesamtherstellung: Presse-Druck- und Verlags-GmbH, Augsburg
Gedruckt auf alterungsbeständigem (säurefreiem),
aus chlorfrei gebleichtem Zellstoff hergestelltem Papier
Printed in Germany

Inhalt

I. Rom und Italien

Im 7. Jh. v. Chr. oder vielleicht erst um 575 wurden die dörfli-
chen Siedlungen auf den Hügeln nahe der Tibermündung zu einer Stadt zusammengefaßt. Die Gründung Roms und der Aufstieg der Stadt zu einer die italische Halbinsel beherrschenden
Macht gehören in den Zusammenhang von Völkerverschiebungen, die von der Landnahme der Italiker bis in das 4. Jh.
hinein andauerten.

Zu Beginn des 1. Jahrtausends nahmen mehrere Wellen in-
dogermanischer Einwanderer von großen Teilen der italischen
Halbinsel Besitz. Die Gruppe der Latino-Falisker, wohl einer
frühen Einwanderungswelle zugehörig, besiedelte das Mündungsgebiet des Tibers, die Masse der später kommenden, mit
den Latino-Faliskern verwandten Italiker ließ sich in den ber-
gigen Landschaften des Apennin nieder. Sie bildeten im Laufe
der Zeit zahlreiche Stammesverbände, die zwei Gruppen zugeordnet werden: den Umbro-Sabellern im Norden und den Os-
kern im Süden, zu denen auch die Samniten gerechnet werden.
Über die Adria kamen Illyrer und von ihnen geprägte Gruppen. Sie besiedelten im Norden die nach dem Stamm der Ve-
neter benannte Landschaft sowie im Süden die Ebenen Apu-
liens.

Einem vorindogermanischen Bevölkerungssubstrat gehörten
die Ligurer im Nordwesten und vielleicht auch die Etrusker an,
deren Kernland die heutige Toskana bildete. Seit dem 8. Jh. besiedelten Griechen die Küstenebenen des Südens und Kampa-
niens. Tarent und Neapel sind griechische Gründungen. Die
früheste griechische Kolonie auf dem Festland, das kampani-
sche Kyme, war zugleich der nördlichste Außenposten, den die
Griechen in Italien erreichten. In Gestalt der Stadt verfügten
sie wie auch die Etrusker über die effektivste politische Organi-
sationsform. Aber während die Griechen auf schmale Küstenebenen beschränkt blieben, besaßen die Etrusker ein kompak-
tes Siedlungsgebiet, das ihnen trotz der Eigenständigkeit, ja
Rivalität ihrer Städte die Grundlage für eine großräumige

Expansion bot. Um von Seeraub und Handel abzusehen: Im 7./ 6. Jh. unternahmen etruskische Adlige mit ihren Gefolgsleuten Vorstöße nach Süden und Nordosten und gründeten zahlreiche Städte: Mantua sowie Adria und Spina im Mündungsgebiet des Po, Capua, Nola, Pompeji und Herculaneum in Kampanien sowie Praeneste (heute Palestrina), Tusculum (Tivoli) und Rom (etruskisch: Ruma) in Latium.

474 brachten die Griechen den Etruskern in der Seeschlacht von Kyme eine vernichtende Niederlage bei. Die Folge war der Zusammenbruch der etruskischen Herrschaft in Kampanien und Latium. Als gegen Ende des 5. Jhs. die Kelten über die nordwestlichen Alpenpässe in die Poebene eindrangen, ging den Etruskern das Kolonialgebiet nördlich des Apennin verloren. Die Auswirkungen der keltischen Landnahme in der Poebene reichten indes weiter. Auf ihren Beute- und Kriegszügen gelangten sie bis nach Süditalien. Auch Rom blieb nicht verschont. Das früheste gesicherte Einzeldatum der römischen Geschichte betrifft die verheerende Niederlage, die das römische Aufgebot am 17. 8. 387 an der Allia gegen die Kelten erlitt.

Ebenso bedrohlich wie die Kelten erwiesen sich die Bergstämme in Mittel- und Süditalien. Der Bevölkerungsüberschuß des Berglandes drängte in die Küstenebenen, und so kam es, daß nicht die Griechen, sondern die Osker die Nutznießer des Zusammenbruchs der etruskischen Herrschaft in Kampanien wurden. Betroffen von dem Druck italischer Bergstämme war auch Latium. Daß die Latiner sich behaupteten, war vor allem Rom zu verdanken. Ja, die Stadt am Tiber gewann in Auseinandersetzung mit Etruskern, Italikern, Latinern und Kelten eine Machtstellung, die den Beutezügen und gewaltsamen Landnahmen ein Ende bereitete. Zwischen 474 und 264 entstanden die politische Ordnung des republikanischen Rom und das italische Bundesgenossensystem, das Rom die Verfügungsgewalt über das Wehrpotential der Halbinsel sicherte. Beides bildete die Grundlage für den Aufstieg Roms zur Weltmacht.

Vom Stadtkönigtum zur aristokratischen Republik

Rom wurde im Zuge der etruskischen Expansion als Stadt gegründet. Das politische Herrschaftsmodell war das etruskische Stadtkönigtum. Der König stand an der Spitze der Kult- und Wehrgemeinschaft. Er vertrat die Gemeinde gegenüber den Göttern, von deren Gunst die Erhaltung des Lebens, die Sicherung der Nahrung und der Erfolg im Krieg abhängig waren. Dies war die religiöse Wurzel politischer Herrschaft. Sie bezog sich auf eine Gemeinschaft, deren schematische Gliederung alle Zeichen einer künstlichen Schöpfung trägt. Das Gesamtvolk bestand aus drei Abteilungen (*tribus*) zu je 10 Unterabteilungen (*curiae*) Reitern und „Masse" (*plebs*). Militärisch und sozial besaß die Reiterei den Vorrang. Die Unterhaltung von Pferden setzte größeren Landbesitz voraus, und aus der berittenen Kerntruppe des Aufgebots bildete der König seine Leibwache und das Gremium seiner Ratgeber und Helfer, den „Ältestenrat" (*senatus*). Diese künstliche Organisation überlagerte eine Gesellschaftsordung, die durch das Nebeneinander von vaterrechtlich organisierten Verwandtschaftsgruppen, Familien und Sippen (*gentes*), bestimmt war. Die neue Ordnung war herrschaftsorientiert, und ihr Sinn bestand in der Ausschöpfung des Wehrpotentials und in einer effizienten Führung. Führung hieß aber nicht zuletzt, der Gemeinschaft die Gunst der Götter zu sichern.

Nach der Niederlage der Etrusker bei Kyme wurde das Königtum der Tarquinier beseitigt: Das Königsgeschlecht stammte offenbar aus dem südetrurischen Tarquinii. Erbe des Königtums war zunächst das Kollektiv des aus der Adelsreiterei rekrutierten Ältestenrats. Aus seinen Reihen, den sog. Patriziern, wurden auf Jahresfrist Befehlshaber des Aufgebots bestimmt, an ihrer Spitze der „oberste Heerführer" (*praetor maximus*) oder „Befehlshaber des Aufgebots" (*magister populi*). Diese Ordnung, die den Patriziern das Monopol der Besetzung der Kommandostellen sicherte, wurde durch eine grundlegende Neuerung der Kampfesweise in Frage gestellt. Angeblich durch Vermittlung der Etrusker lernten die Römer nach Art der Griechen in geschlossener Formation zu Fuß zu kämpfen. Mit dieser Kampfesweise erwies sich die schwerbewaffnete Infanterie der Kavallerie überlegen. Die kriegsentscheidende Waffengattung wurde also von den Bauern gestellt, alle Führungspositionen aber, die militärischen wie die religiösen, hatten Angehörige der ständisch exklusiven Adelsreiterei inne.

Aus dieser Spannung zwischen Heeresordnung und politischer Verfassung resultierten die sog. Ständekämpfe. Der erste Erfolg, den das bäuerliche Fußvolk errang, war die Bestellung von Plebejern zu Befehlshabern der drei Tausendschaften der kriegsentscheidenden Waffengattung. Dies ist der Ursprung des Volkstribunats. Noch immer aber waren Plebejer von dem Kommando des Gesamtaufgebots ausgeschlossen. Zur Durchsetzung ihrer Forderung nach Gleichberechtigung organisierten die Volkstribune das Fußvolk als politische Versammlung der Plebejer (*concilium plebis*). Nach mehreren Zwischenlösungen zeichnete sich im zweiten Drittel des vierten Jahrhunderts folgende Lösung des Konflikts ab: Die oberste Befehlsgewalt (*imperium*) ging auf zwei Konsuln und einen Praetor über. Im Sinne einer fortschreitenden Arbeitsteilung wurde diesem die Schlichtung von Rechtsstreitigkeiten als Hauptaufgabe übertragen, und so übte er im Unterschied zu den Konsuln die oberste militärisch-politische Kommandogewalt nur in Ausnahmefällen aus. Führende Plebejer fanden bei der Besetzung der höchsten Kommandostellen zunehmend Berücksichtigung. Gleiches geschah seit dem Ausgang des 4. Jhs. bei der Ergänzung der Priesterkollegien, und es versteht sich, daß bei der nach dem Prinzip der Arbeitsteilung vorgenommenen Auffächerung der Ämterhierarchie in gleicher Weise Patrizier und Plebejer Berücksichtigung fanden.

Die Umgestaltung der Heeresordnung und der Kampf um die Gleichberechtigung der Plebejer brachte zwei neue Formen der Volksversammlung hervor. Neben die bereits erwähnte Versammlung des Fußvolkes trat die nach Bewaffnungsklassen geordnete Heeresversammlung. An ihre Zustimmung wurde die Ernennung der Oberkommandierenden gebunden, und ihr fiel die Entscheidung über Krieg und Frieden zu. Die ältere

Versammlung der etruskischen Königszeit, die kein Wahl- oder politisches Abstimmungsgremium, sondern eher eine Kultgemeinde war, blieb in rudimentären Formen erhalten. Vor ihr wurde den Oberkommandierenden die Vollmacht zur Erkundung des Götterwillens, die religiöse Kompetenz des Oberamtes also, übertragen.

Aufs Ganze gesehen wurde mit der Beseitigung des sakralen Königtums ein Prozeß eingeleitet, in dessen Verlauf Politik und Kriegsführung ein größeres Eigengewicht gegenüber Kult und Religion gewannen. Amtsfunktionen wurden unter dem Gesichtspunkt sinnvoller Arbeitsteilung aufgespalten, der Zugang zu den einzelnen Ämtern wurde unter Berücksichtigung eines Ausgleichs der Stände und persönlicher Kompetenz geregelt und die Beteiligung des Volkes an den politischen Entscheidungen so gestaltet, daß Vermögensunterschiede und die lokale Einteilung des Bürgergebiets das Gewicht der Einzelstimme modifizierten. Früh wurde das Recht als Mittel zur Aufrechterhaltung des inneren Friedens begriffen und im Anschluß an die griechischen Rechtskodifikationen der archaischen Zeit um die Mitte des 5. Jhs. das für römische Bürger geltende Recht (*ius civile*) auf zwölf Tafeln aufgezeichnet.

Nicht der politische Konflikt um die Besetzung des höchsten Amtes, sondern die sozialen Probleme einer unter Landnot und Verschuldung leidenden kleinbäuerlichen Bevölkerung waren die treibende Kraft, die zur Fixierung einer den inneren Frieden sichernden Rechtsordnung führte. Den Hofbesitzern standen die Besitzlosen, die sog. Proletarier, gegenüber, und der Enge der ländlichen Lebensverhältnisse entsprachen die detaillierten Bestimmungen über Ackergrenzen, Wege- und Nutzungsrechte. Eine deutliche Sprache spricht auch das Schuldrecht. Für Darlehen haftete der Schuldner mit seiner Person, d.h. er konnte im Falle der Zahlungsverweigerung in Beugehaft genommen und im Falle der Zahlungsunfähigkeit in Schuldknechtschaft gehalten oder in die Sklaverei ins Ausland jenseits des Tibers verkauft werden. Aus Not verkauften Hausväter auch die ihrer Gewalt unterworfenen Kinder auf Zeit in die Knechtschaft.

Die Folgen knapper Ressourcen und relativer Übervölkerung waren Eigentumsdelikte und Gewaltanwendung. Einbruch, Diebstahl, Brandstiftung, Feldzauber (er diente dazu, die Kräfte der Fruchtbarkeit vom Feld des Nachbarn „herüberzulocken") und gewaltsame Selbsthilfe bedrohten den inneren Frieden einer auf engem Raum zusammenlebenden Bevölkerung. Die Gefahr, die von Kriminalität und Selbsthilfe ausging, war um so größer, als Rom auch nach außen um seine Selbstbehauptung zu kämpfen hatte. Schon das Institut der Schuldknechtschaft konnte letztlich das bäuerliche Wehrpotential der Gemeinde aushöhlen. Die Antwort, die das Zwölftafelgesetz auf diese Herausforderung gab, bestand im Schutz der Person und der Lebensgrundlage des einzelnen, in der Begrenzung der Selbsthilfe auf die Abwehr einer unmittelbar drohenden Gefahr sowie in dem Versuch, durch Festlegung der maximalen Höhe des Zinssatzes die Folgen der Verschuldung zu lindern. Das Gesetz rüttelte nicht an dem Prinzip der Privatrache, aber es band den Vollzug der Rache an die Ermächtigung durch einen Richterspruch. Der Verhinderung von Racheexzessen diente auch die Festlegung der Höhe von Strafen und Bußen bei Körperverletzung und Eigentumsdelikten. Es wirft ein bezeichnendes Licht auf die wirtschaftlichen Verhältnisse, daß die Bußen nach dem Wertmaßstab von Vieh (Schafen und Rindern) und Metallbrocken berechnet waren.

Der Wahrung des Rechtsfriedens diente es auch, wenn der Mächtige, der den Abhängigen übervorteilte, der Richter, der das Recht beugte, und der Zeuge, der falsches Zeugnis ablegte, mit hohen Strafen belegt wurden. Das Zwölftafelgesetz begünstigte weder den Mächtigen noch den Amtsinhaber, und es machte keinen Unterschied zwischen Patriziern und Plebejern. Insofern war es dem Prinzip der Rechtsgleichheit verpflichtet. Aber dem Verschuldungsproblem war mit der Festlegung der maximalen Höhe des Zinssatzes allein nicht beizukommen. Nicht die Rechtsordnung, sondern die im 4. Jh. einsetzende römische Expansion in Italien brachte die Lösung. Landzuweisungen und Kolonisation erweiterten die Lebensgrundlage der Bürgerschaft. Während das Zwölftafelgesetz an dem Zugriff des Gläubigers auf die Person des zahlungsunwilligen oder -unfähigen Schuldners festhielt, hob gegen Ende des 4. Jhs. ein nach seinen Urhebern benanntes Gesetz, die *lex Poetelia Papiria*, die Schuldknechtschaft auf.

Dieses Gesetz gehört bereits in den Zusammenhang der durch den Ausgleich zwischen Patriziern und Plebejern bewirkten Grundlegung der republikanischen Staatsordnung Roms. Ihr wichtigstes Kennzeichen war die Bildung einer neuen politischen Klasse, die ihre Mitte in der Ratsversammlung des Senats fand. Durch die Aufnahme von Plebejern verlor sie ihren ständisch geschlossenen Charakter. Es wurde üblich, diejenigen in den Senat aufzunehmen, die ein Amt bekleidet hatten. Auf diese Weise bildete sich eine neue patrizisch-plebejische Führungsschicht, und zwar unterlag der Prozeß der Ergänzung einer doppelten Kontrolle: Die Amtsträger wurden durch das Volk gewählt und durch besondere Beauftragte, die sog. Zensoren, in die Senatsliste eingetragen. Der Prozeß der Ergänzung des Senats war also gesteuert, und dies erlaubte die Integration nicht nur von „neuen Männern" (*homines novi*), sondern auch von führenden Familien der Gemeinden, die im Zuge der römischen Expansion unter die Herrschaft Roms gerieten. Bereits seit der Mitte des 4. Jhs. begegnen in den Konsullisten Männer latinischer, sabinischer, kampanischer, ja etruskischer Herkunft.

Der Senat fungierte nominell als Ratgeber der die höchste Amtsgewalt (*imperium*) innehabenden Magistrate. Aber in ihm waren der Sachverstand und das soziale Gewicht der neuen politischen Klasse konzentriert, und so gewannen seine Ratschläge autoritative Bedeutung. Im allgemeinen war die Neigung des einzelnen Magistrats gering, sich auf einen Konflikt mit der Senatsmehrheit einzulassen. Das politische System beruhte auf dem Grundgedanken, daß die prinzipiell unbeschränkte Handlungs- und Initiativbefugnis der höchsten Amtsträger an dem Veto des Amtsgenossen und an dem politischen Willen des Senats eine Grenze fand.

Mit der Bildung einer neuen Aristokratie, der sog. Nobilität, ging die Beseitigung der Schranken Hand in Hand, die die Plebejer von dem inneren Kreis der Macht ferngehalten hatten. Die Patrizier teilten mit den plebejischen Obermagistraten das Recht, den Götterwillen zu erkunden. Die religiöse Grundlage der höchsten militärisch-politischen Amtsgewalt war damit kein exklusives Vorrecht der Patrizier mehr. Auch zu den Priesterkollegien wurden die Plebejer zugelassen, und die im Ständekampf geschaffenen Institutionen wurden der neuen Situation angepaßt. Politisch am bedeutendsten war, daß das Volkstribunat und die Sonderversammlung der Plebs nicht nur erhalten blieben, sondern 287 durch ein Gesetz, die sog. *lex Hortensia*, erheblich aufgewertet wurden. Es wurde festgelegt, daß die Beschlüsse der von den Volkstribunen geleiteten Versammlung die gesamte Gemeinde binden sollten. Der Grundkonsens der Nobilität war so weit fortgeschritten, daß in dieser Regelung eher eine Stabilisierung als eine mögliche Gefährdung der politischen Ordnung gesehen wurde. Solange dieser Grundkonsens währte, schien sie sich glänzend zu bewähren. Ein griechischer Beobachter des 2. Jhs., der Historiker Polybios, definierte sie als eine Mischung monarchischer (Magistratur), aristokratischer (Senat) und demokratischer (Volksversammlungen) Elemente und sah in dieser „gemischten Verfassung" einen Faktor der politischen Stabilität und ein Unterpfand der Größe Roms.

Stadtstaat und Territorialherrschaft

Der Aufstieg Roms zu einer Weltmacht im 3. und 2. Jh. war freilich weniger eine Folge des Regierungssystems als der Gewinnung der Herrschaft über Italien. Diese Herrschaft war nicht das Ergebnis vorausschauender Planung, und doch entbehren die Formen, in denen sie sich am Ende präsentiert, nicht der Logik einer ingeniösen Zweckmäßigkeit.

Ausgangspunkt des Prozesses, der zur Herrschaft Roms über Italien führte, war der Zusammenbruch der etruskischen Hegemonie in Latium und Kampanien nach 474. Wie seine Nachbarn in den Küstenebenen war auch Rom mit dem Vordringen der italischen Bergvölker konfrontiert, und es war zusätzlich noch durch die etruskischen Städte nördlich des Tiber bedroht. Gegenüber den italischen Stämmen konnten sich Rom und die latinischen Gemeinden behaupten. Der gemeinsame Kult des Iupiter Latiaris in dem Bundesheiligtum auf dem Monte Corvo bot den Anknüpfungspunkt für die Koordination militärischer Zusammenarbeit und für die privatrechtliche Gleichstellung in dem sog. Latinischen Bund. Gegenüber den Etruskern behauptete sich Rom aus eigener Kraft. Mit der Vernichtung von Veji (396) verdoppelte die Stadt ihr Territorium (von 800 auf ca. 1500 km^2). Um die Mitte des 4. Jhs. gewann Rom zusammen mit den Latinern die Kontrolle über einen breiten Landstreifen, der vom südlichen Etrurien bis an den Rand von Kampanien reichte. Damit waren Rom und der Latinische Bund Nachbarn der Samniten geworden, die ihrerseits in die Küstenebenen der südlichen Halbinsel drängten. 343 folgten die Römer und Latiner einem Hilferuf des bedrängten Capua und schoben ihr Einflußgebiet bis in das nördliche Kampanien vor.

Das Ungleichgewicht, das im Laufe des 4. Jhs. zwischen dem zur Vormacht aufgestiegenen Rom und der Masse der kleineren latinischen Gemeinden eingetreten war, führte freilich unmittelbar nach dem Friedensschluß mit den Samniten zu einem Krieg (340–338), an dessen Ende das siegreiche Rom den Latinischen Bund auflöste. Die meisten latinischen Gemeinden gingen im römischen Staatsverband auf. Selbständig blieben nur die latinischen Kolonien und die wenigen Städte in Latium, die Rom treu geblieben waren (Tibur und Praeneste). Capua und die italischen Stämme, die sich den Latinern angeschlossen hatten, verloren einen Teil ihres Territoriums bzw. ihre Militärhoheit. Rom vervielfachte damit sein Wehrpotential, und sein Territorium wuchs von 1500 auf ca. 6100 km^2.

Damit war Rom zum eigentlichen Gegenspieler der Samniten geworden. Alle Städte und Stämme, die von der samnitischen Expansion bedroht waren, wandten sich an die neue Großmacht Mittelitaliens: 326 begannen, nach einem Hilfsgesuch des griechischen Neapel, die Samnitenkriege. Sie dauerten mit Unterbrechungen bis 272. Zeitweise weiteten sich die

Kämpfe zu großen, ganz Italien erfassenden Kriegen aus, in denen für Rom alles bis dahin Erreichte auf dem Spiel stand. In die letzte Phase dieser Auseinandersetzungen war ein hellenistischer Herrscher, König Pyrrhos von Epirus (entspricht ungefähr dem heutigen Albanien), verwickelt. Das Ende der italischen war somit zugleich der Anfang der mediterranen Periode der römischen Geschichte.

Wenn Rom sich trotz aller Krisen am Ende durchsetzte, so lag dies nicht nur an der mangelnden Koordination der potentiell überlegenen Gegner und an der Fähigkeit der Römer, die anfängliche taktisch-militärische Überlegenheit der Samniten durch Anpassung an ihre bewegliche Kampfesweise auszugleichen. Wichtiger und zukunftsweisender war, daß Rom ein überlegenes politisch-strategisches Konzept entwickelte, dem die locker organisierten Samniten nichts Gleichwertiges entgegenzusetzen hatten.

Dieses Konzept bestand darin, die Samniten durch Bündnisse mit den von ihnen bedrohten Städten und Stämmen sowie durch Gründung befestigter, an strategischen Schlüsselpositionen gelegener Kolonien einzuschnüren und auf diese Weise die Kontrolle über ganz Süditalien zu gewinnen. Die in der fraglichen Zeit errichteten 20 Kolonien lagen meist am östlichen Rand der latinischen und kampanischen Küstenebenen, am westlichen Rand der apulischen wurden Luceria (314) und Venusia (291) gegründet. Vollendet wurde die Kontrolle des samnitischen Siedlungsgebiets durch die Gründung von Benevent (268) und Aesernia (263). Der Stammesverband der Samniten wurde aufgelöst, und die Teilstämme traten einzeln in ein Bundesverhältnis zu Rom, das sie zur Heeresfolge verpflichtete.

Das Ergebnis der Samnitenkriege war, daß das römische Staatsgebiet von 6100 auf ca. 24 000 km^2 wuchs. Es reichte von Kampanien über Latium bis ins südliche Etrurien und erreichte über eine Landbrücke in Mittelitalien die adriatische Küste, wo in den heutigen Marken die Kelten vertrieben wurden und ihr Land, der sog. *ager Gallicus*, annektiert wurde. Diesem, für antike Verhältnisse riesigen, Territorium der Gemeinde Rom stand das Bundesgebiet zahlreicher, vielfach auch ethnisch geschiedener Städte und Stammesverbände gegenüber, die nicht miteinander, sondern ausschließlich mit Rom in einem Bündnis auf ewige Zeiten verbunden waren. Das Territorium der Gesamtheit der Bundesgenossen war größer als das der Stadt Rom. Es betrug ca. 130000 km². Bürger- und Bundesgenossengebiet umfaßten das ganze festländische Italien südlich des Apennin.

Weder das Bürgergebiet noch das sog. Bundesgenossensystem waren einheitlich organisiert. Ja, die römische Herrschaft über Italien beruhte auf dem Prinzip jener Differenzierung, deren Sinn mit dem, übrigens nicht von den Römern selbst stammenden, Wort „Teile und herrsche" (*divide et impera*) präzise erfaßt ist. Ihre Grundelemente waren Stadt und Stamm sowie der Bündnisvertrag. Rom hatte sie nicht erfunden, sondern vorgefunden. Die ingeniöse Eigenleistung der Römer bestand darin, daß sie städtisch organisierte Gemeinden in ihr eigenes Bürgergebiet integrierten und durch die flexible Ausgestaltung des Bündnisvertrags die Möglichkeit schufen, den Krieg aus dem Binnenraum Italiens zu verbannen, den Völkerbewegungen ein Ende zu setzen und die Wehrkraft ganz Italiens in der Verfügungsgewalt der herrschenden Gemeinde zusammenzufassen.

Der römische Staatsverband setzte sich aus römischen Bürgern und Untertanen zusammen. Durch Annexion fremden Territoriums erweiterte die Bürgerschaft ihr Siedlungsgebiet. Anfangs vernichtete Rom nach Eroberung einer feindlichen Stadt die indigene Bevölkerung (dies geschah im Falle von Veji und Fidenae) und besiedelte das Land mit eigenen Bürgern. Im weiteren Verlauf der römischen Expansion trat eine weniger radikale Variante in den Vordergrund. Fremde Städte und Stämme traten nach ihrer Niederlage einen Teil ihres Siedlungsgebiets an Rom ab. Beispielsweise wurden in den Seestädten der Volsker an der Küste Latiums im 4. Jh. römische Bürgerkolonien wie Antium und Terracina angelegt, und auf ihrem abgetretenen Land wurden 358 zwei neue Bürgerbezirke eingerichtet, die *tribus Pomptina* und *Poblilia*.

Durch die Aufnahme der besiegten Städte des Latinischen Bundes wurden 338 Bürgergebiet und Bürgerzahl vervielfacht. Dabei wurde die Existenz der Städte nicht aufgehoben, und ihre Bürger gewannen neben dem alten ein neues Bürgerrecht, das der römischen Gesamtgemeinde. Mit dieser Regelung war ein Weg gefunden, auf der Grundlage städtischer Gemeinden einen Territorialstaat zu bilden. Voraussetzung dafür waren die gemeinsame lateinische Sprache, die von alters her bestehende zivilrechtliche Gemeinschaft der Eheschließung und des Handelsverkehrs (*commercium et connubium*) sowie die Kultgemeinschaft.

Sofern Rom nichtlatinische Städte in seinen Staatsverband aufnahm, fehlten die Voraussetzungen für eine vollständige Integration. Stimmrecht in der römischen Volksversammlung gewannen Etrusker oder Volsker ebensowenig wie die zivilrechtliche Gleichstellung. Sie bildeten weiterhin eigenständige Gemeinwesen, verloren jedoch die Militärhoheit. Ihr militärisches Potential organisierte Rom im Rahmen seines eigenen Aufgebots. Insbesondere italische und etruskische Gemeinden, die im Umkreis Roms lagen, wie Caere, Arpinum, Antium und Terracina, bildeten den Untertanenverband innerhalb des römischen Staatsgebietes.

Innerhalb der Gruppe der Bundesgenossen waren die latinischen Kolonien eine privilegierte Klasse. Die älteren waren gemeinsame Gründungen des Latinischen Bundes, seit 338 waren sie Schöpfungen Roms. Angelegt wurden sie an strategischen Schlüsselpositionen auf annektiertem Land. Bis 263 stieg ihre Zahl auf rd. 30. Eine latinische Kolonie bildete einen selbständigen Staat, dessen Bürger den Römern zivilrechtlich gleichgestellt waren. Ja, bei einer Übersiedlung eines Kolonisten nach Rom lebte sein ursprüngliches römisches Bürgerrecht wieder auf. Alle Kolonien lagen in fremdem, ursprünglich feindlichem Land, und sie besaßen dementsprechend ein befestigtes städtisches Zentrum. Ausgestattet mit eigener Militärhoheit, waren sie zur Selbstverteidigung befähigt und blieben doch auf den Rückhalt der Mutterstadt angewiesen. Mit ihr waren sie durch einen Vertrag verbunden, der sie zur Heeresfolge verpflichtete.

Die latinischen Kolonien waren, wie Cicero es ausdrückte, die Bollwerke der römischen Herrschaft in Italien.

Dieses System unterwarf die Bundesgenossen keiner Abgabenpflicht, und es griff nicht in die innere Ordnung der einzelnen Gemeinden ein. Rom vermied also die Anwendung der Herrschaftsmittel, die sich im 5. Jh. für Athen als Belastung seines ersten Seebundes erwiesen hatten. Auf Tribute war Rom um so weniger angewiesen, als anders als im Falle Athens keine Flotte unterhalten werden mußte. Ebensowenig bediente sich Rom der kostspieligen Söldnerheere, von denen im Kriegsfall die anderen Großmächte der Mittelmeerwelt abhängig waren. Für die Unterhaltung von Söldnerheeren fehlten in Rom zur Zeit der Samnitenkriege ganz elementare Voraussetzungen. Rom prägte damals nicht einmal Münzgeld, sondern begnügte sich damit, nach Gewicht normierte und signierte Kupferbarren auszugeben. Die Heeresverfassung beruhte ganz auf dem Prinzip, daß alle Waffenfähigen, d.h. diejenigen, die wirtschaftlich dazu in der Lage waren, sich selbst ausrüsteten. Keine Macht der Mittelmeerwelt verfügte im 3. Jh. über ein so großes Reservoir an Waffenfähigen wie Rom. Mochten hellenistische Söldnerheere durch Professionalisierung und Spezialisierung den römischen Milizaufgeboten qualitativ überlegen sein: Die Römer verfügten über die stärkeren Bataillone, die letztlich den Sieg verbürgten.

Als Rom 225 am Vorabend eines drohenden Keltenkrieges eine Generalmobilmachung anordnete, wurden ca. 770 000 Waffenfähige ermittelt. Dieses große Potential setzte sich aus 273 000 Römern, 85 000 Latinern und 412 000 Bundesgenossen zusammen.

Die römische Kolonisation in Italien vom 5. bis zum 2. Jhdt. v.Chr.

Latinische Kolonien

1	Ardea	442 v.Chr.
2	Satricum	385 v.Chr.
3	Circei	383 v.Chr.
4	Nepet	383 v.Chr.
5	Sutrium	383 v.Chr.
6	Setia	382 v.Chr.
7	Cales	334 v.Chr.
8	Fregellae	328 v.Chr.
9	Luceria	314 v.Chr.
10	Suessa Aurunca	313 v.Chr.
11	Saticula	313 v.Chr.
12	Pontia	313 v.Chr.
13	Interamna Liris	312 v.Chr.
14	Alba Fucens	303 v.Chr.
15	Sora	303 v.Chr.
16	Narnia	299 v.Chr.
17	Carseoli	298 v.Chr.
18	Venusia	291 v.Chr.
19	Hadria	289 v.Chr.
20	Castrum Novum	283 v.Chr.
21	Cosa	273 v.Chr.
22	Paestum	273 v.Chr.
23	Ariminum	268 v.Chr.
24	Beneventum	268 v.Chr.
25	Firmum	264 v.Chr.
26	Aesernia	263 v.Chr.
27	Copia	193 v.Chr.
28	Vibo	192 v.Chr.
29	Bononia	189 v.Chr.
30	Aquileia	181 v.Chr.

Bürgerkolonien

I	Antium	338 v.Chr.
II	Tarracina	329 v.Chr.
III	Minturnae	296 v.Chr.
IV	Sinuessa	296 v.Chr.
V	Sena Gallica	283 v.Chr.
VI	Liternum	194 v.Chr.
VII	Volturnum	194 v.Chr.
VIII	Puteoli	194 v.Chr.
IX	Salernum	194 v.Chr.
X	Sipontum	194 v.Chr.
XI	Buxentum	194 v.Chr.
XII	Tempsa	194 v.Chr.
XIII	Croton	194 v.Chr.
XIV	Pyrgi	191 v.Chr.
XV	Pisaurum	184 v.Chr.
XVI	Potentia	184 v.Chr.
XVII	Saturnia	183 v.Chr.
XVIII	Parma	183 v.Chr.
XIX	Mutina	183 v.Chr.
XX	Graviscae	181 v.Chr.
XXI	Luna	177 v.Chr.
XXII	Auximum	157 v.Chr.

II. Rom und die Mittelmeerwelt

Um die Mitte des 4. Jhs. erreichte Rom in Latium auf breiter Front die Küste, und in der Zeit der Samnitenkriege gelang ihm die Einbeziehung Süditaliens in das von ihm beherrschte Bundesgenossensystem. Das erste brachte Rom in Beziehung zu Karthago, das zweite führte zu einer kriegerischen Begegnung mit König Pyrrhus von Epirus, der im frühen 3. Jh. die scheinbare Gunst der Lage zu einer Erweiterung seines Reiches nach Unteritalien und Sizilien benutzen wollte. Karthago und die hellenistische Staatenwelt sollten Roms Gegenspieler in jener Periode seiner Geschichte werden, in der es zur Beherrscherin der Mittelmeerwelt aufstieg. Von Karthago und der hellenistischen Staatenwelt soll deshalb ebenfalls kurz die Rede sein.

Karthago, um 800 als Kolonie des phönikischen Tyros gegründet, war im 6. Jh. Mittelpunkt eines Reiches geworden, das phönikische Städte und Handelsstationen Nordafrikas, den Ostteil Siziliens sowie Stützpunkte auf Sardinien, Korsika, in Spanien, vor allem im Bereich der Meerengen und auf den Balearen, umfaßte. Die Karthager waren Seeräuber, Händler und Kolonisatoren, und ihr Bestreben ging dahin, unliebsame Konkurrenz durch Verträge und notfalls durch Gewaltanwendung auszuschließen. Hauptrivalen der Karthager waren die Griechen, und der karthagisch-griechische Gegensatz bestimmte die Geschichte Siziliens bis in das 3. Jh. hinein.

Versuche der griechischen Phokäer, sich auf Korsika niederzulassen, vereitelten 540 Karthager und Etrusker gemeinsam. Ebenso machte Karthago gegen Ende des 6. Jhs. die Absicht des spartanischen Prinzen Dorieus zunichte, in der nordafrikanischen und sizilischen Interessensphäre der Stadt zu kolonisieren. Mit den Etruskern der Küstenstädte – gefürchtete Seeräuber auch sie – einigten sich die Karthager dagegen auf vertraglicher Basis.

Vertragliche Beziehungen bestanden auch zwischen Rom und Karthago. Zwei Verträge hat der griechische Historiker Polybios im Wortlaut erhalten. Im ersten wurde den Römern und ihren Bundesgenossen untersagt, über Kap Bon (im heutigen Tunesien) hinaus nach Süden zu fahren, während den Karthagern auferlegt wurde, sich von den Rom untertänigen Seestädten in Latium fernzuhalten. Für die nicht untertänigen wurde lediglich stipuliert, daß die karthagischen Seeräuber sich hier nicht festsetzen sollten. Der zweite Vertrag verbot den Römern Seeraub und Kolonisation an der spanischen Küste sowie auf Sardinien und in Nordafrika. Umgekehrt sollte es den Karthagern freistehen, in Latium Städte anzugreifen, soweit sie den Römern nicht untertan waren. Im Falle eroberter Städte sah der Vertrag vor, daß die Karthager die bewegliche Beute, die Römer aber die betreffende Stadt erhalten sollten. Während der erste Vertrag die Gewinnung der Küstenlinie durch die Römer vorauszusetzen scheint, muß der zweite in einer vorübergehenden Schwächeperiode Roms geschlossen worden sein. Zu denken wäre am ehesten an die Zeit des Latinerkriegs (340–338). Für den Verzicht auf Seeraub und Kolonisation im karthagischen Interessengebiet – um die Mitte des 4. Jhs. soll es zu römischen Kolonisationsversuchen auf Sardinien und Korsika gekommen sein – erhielt Rom die Zusicherung, daß die Karthager von ihnen eingenommene Städte in Latium den Römern auslieferten. Wenn nicht alles täuscht, dann steckt in dieser Vereinbarung mehr als eine Interessenabgrenzung: Sie setzt eine begrenzte Kooperation voraus.

Zur Kooperation kam es auch, als Rom und Karthago mit dem Versuch des Königs Pyrrhos konfrontiert waren, ein unteritalisch-sizilisches Reich zu gründen. Der erste Versuch war dies nicht. Schon der epirotische König Alexander, ein Onkel Alexanders d. Gr., verfolgte mit Wissen und Billigung seines Neffen derartige Pläne (334–331). Auf Sizilien nahm der syrakusanische Condottiere Agathokles 304 nach dem Vorbild der Nachfolger Alexanders d. Gr. die Königswürde an und heiratete eine Tochter des in Ägypten herrschenden Ptolemaios I. In Süditalien bewirkte die Bedrohung der Griechen durch die Italiker mehrere Interventionen griechischer Herrscher. Tarent versuchte, sich nacheinander mit Hilfe des spartanischen Prinzen Kleonymos und des Königs Agathokles gegen die lukanischen und bruttischen Nachbarn zu behaupten (304–289). Als Tarent 282 aus nichtigem Anlaß mit Rom in einen Krieg geriet, rief es den epirotischen König Pyrrhos zu Hilfe. Dieser, einer der größten Feldherren des Altertums, hatte die Herrschaft über Makedonien gewonnen und wieder verloren, und er nahm das Hilfsgesuch der Tarentiner zum Anlaß, sich nach Westen zu wenden. 280/79 errang er zwei verlustreiche, nichts entscheidende Siege, dann folgte er dem Ruf der sizilischen Griechen, die nach dem Tod des Agathokles von den Karthagern bedrängt wurden. Durchschlagenden Erfolg hatte er auch hier nicht. Da sich seine italischen Bundesgenossen aus eigener Kraft gegen Rom nicht halten konnten, kehrte er noch einmal nach Italien zurück und errang 275 bei Benevent seinen letzten „Pyrrhussieg". Dann gab er auf und kehrte nach Epirus zurück. Beim Versuch, ein makedonisch-griechisches Reich zu gewinnen, ist er in Argos im Straßenkampf gefallen.

Die kriegerische Begegnung mit einem der großen politischen Abenteurer der hellenistischen Welt blieb eine Episode. Aber es war deutlich geworden, daß Rom mit dem Ausgreifen nach Süditalien in das Kraftfeld der widerstreitenden Interessen der großen Mächte geraten war. Im Schnittpunkt dieser Interessen lag das unteritalische und sizilische Griechentum. Es übte auf die dynastischen Ambitionen hellenistischer Condottieri eine unwiderstehliche Anziehungskraft aus, und es lag im Gravitationsfeld der beiden Großmächte des westlichen Mittelmeeres: Gemeint sind Rom und Karthago.

Rom und Karthago

Der Konflikt zwischen beiden Mächten brach 264 aus. Er entzündete sich an einer eher beiläufigen Frage. Nach dem Tod des Agathokles hatten sich seine oskischen Söldner – sie nannten sich nach dem Kriegsgott Mars Mamertiner – in den Besitz von Messana gesetzt und jahrelang das östliche Sizilien durch ihre Raubzüge terrorisiert. Durch den Kampf mit ihnen gewann ein Condottiere namens Hieron schließlich die Herrschaft in Syrakus. Nachdem er einen entscheidenden Sieg über die Mamertiner errungen hatte, nahm er den Königstitel an und ging daran, Messana zu belagern. Die bedrängten Mamertiner riefen Rom zu Hilfe, und die Römer folgten dem Hilferuf und nahmen Messana in ihr Bundesgenossensystem auf, ohne die möglichen Weiterungen ihrer Entscheidung zu bedenken. Aber bevor ein römisches Heer in Messana eintraf, legte ein karthagischer Admiral eine Besatzung in die Stadt. Aus dieser Situation entstand ein Konflikt von unvorhergesehenem Ausmaß. Anfangs stand Rom Hieron und den Karthagern gegenüber. Nach dem Übertritt Hierons auf die römische Seite nahm Karthago allein den Kampf um Sizilien auf. Der Krieg dauerte bis 241, und er stellte beide Seiten auf eine harte Probe. Rom war gezwungen, sich eine Flotte zu schaffen, um der karthagischen Seemacht entgegentreten zu können, und Karthago mußte unter Ausschöpfung aller Ressourcen große Söldnerheere auf Sizilien unterhalten.

Beide Seiten erhöhten im Laufe des Krieges ihren Einsatz: Rom, um das durch karthagische Offensiven in Frage gestellte Ergebnis der Samnitenkriege, die Herrschaft über Süditalien, abzusichern; Karthago, um die italische Großmacht von der Insel zu vertreiben, die die strategische Schlüsselposition des karthagischen Reiches darstellte. In der Schlußphase des Krieges leistete Hamilkar Barkas, der Vater Hannibals, den Römern im westlichen Sizilien mehrere Jahre zähen Widerstand. Karthago mußte den Krieg erst verloren geben, als eine mit privaten Spenden finanzierte römische Flotte die karthagische bei den Ägatischen Inseln 241 vernichtet hatte und das karthagische Landheer auf dem Seeweg nicht mehr versorgt werden konnte.

Der Friedensvertrag legte den Karthagern die Räumung Siziliens und aller Inseln „zwischen Italien und Sizilien" sowie die Zahlung einer hohen Kriegsentschädigung auf. Drei Jahre später nutzte Rom die Notlage aus, in die Karthago durch eine von demobilisierten Söldnern ausgelöste Aufstandsbewegung geraten war, und erzwang neben zusätzlichen Geldzahlungen die Räumung von Sardinien und Korsika. Damit hatte Karthago alle Stützpunkte verloren, von denen aus seine Flotten gegen die Küsten Italiens operieren konnten.

Die Konfrontation mit Karthago war nicht der einzige Konflikt, der sich aus der römischen Herrschaft über Italien ergab. Die illyrische Piraterie im Adriatischen Meer wurde zu einem ernsten Problem, als der Stamm der Ardiäer unter ihrer Königin Teuta den Seeraub in den Dimensionen regelrechter Seekriege organisierte. Römische Bundesgenossen, insbesondere die griechischen Seestädte, waren betroffen. Auf ihre Bitten hin intervenierte Rom militärisch und versuchte, durch Aufbau einer dalmatinischen Einflußzone der organisierten Piraterie einen Riegel vorzuschieben (229). Aber ein durchschlagender Erfolg wurde nicht erzielt. Ein lokaler Dynast nahm die Piraterie in großem Stil wieder auf. Als Rom 219 erneut militärisch eingriff, floh er zu König Philipp V. von Makedonien. Damit zeichnete sich die Möglichkeit ab, daß aus der römischen Intervention auf dem Balkan künftig ein ernsterer Konflikt entstehen könnte.

Doch im Jahr 218 mußte sich Rom einem weit größeren Problem zuwenden. Ein neuer bewaffneter Konflikt mit Karthago, der 2. Punische Krieg, entzündete sich in Spanien. Nach Niederwerfung des Söldneraufstandes in Afrika war Hamilkar Barkas 237 nach Spanien gegangen, um für das Heer ein neues Betätigungsfeld zu finden und neue Einnahmequellen zu erschließen. Nach seinem Tod (229/28) setzte sein Schwager Hasdrubal, vor allem mit diplomatischen Mitteln, die Arrondierung des karthagischen Herrschaftsgebiets fort. Wenige Jahre später wurde Rom, von dem griechischen Massalia (Marseille) auf das karthagische Vordringen nach Norden aufmerksam gemacht, bei Hasdrubal vorstellig und handelte mit ihm aus, daß der Ebro die Nordgrenze des karthagischen Interessengebiets sein sollte. Wegen des Keltenproblems war das römische Interesse darauf gerichtet, eine Sicherheitszone zwischen dem karthagischen Herrschaftsgebiet in Spanien und den unruhigen, mit den Stammesgenossen in Südgallien in Verbindung stehenden Kelten der Poebene zu fixieren. Der Feldherrnvertrag mit Hasdrubal (226) band freilich weder den karthagischen Staat noch Hannibal, der 221 die Nachfolge seines Onkels antrat. Der von ihm forcierten karthagischen Expansion versuchte Rom vergeblich mit diplomatischen Mitteln zu begegnen. 219 griff Hannibal Sagunt an – Rom war mit dieser südlich des Ebro gelegenen Stadt durch Wahrnehmung einer Schiedsrichterrolle in freundschaftliche Beziehungen getreten – und nahm es nach neunmonatiger Belagerung ein. Rom war damals in Illyrien und in Norditalien militärisch engagiert und unternahm nichts. Dies veranlaßte Hannibal, seinen Spielraum zu überschätzen. Im Frühjahr 218 überschritt er den Ebro und begann mit der Unterwerfung der südlich der Pyrenäen wohnenden Stämme. Daraufhin erklärte Rom Karthago den Krieg.

Noch 218 improvisierten beide Seiten militärische Offensiven, die von dem strategischen Grundgedanken getragen waren, den Gegner im eigenen Land aufzusuchen und seine Hilfsquellen zu vernichten. Die Römer trugen den Krieg nach Spanien, Hannibal überschritt die Alpen und fiel nach Italien ein. Beide Seiten suchten zunächst die schnelle Entscheidung in großen Schlachten. Sieger in dieser bis 216 dauernden ersten Phase des Krieges blieb Hannibal. Die Serie römischer Niederlagen kulminierte in der berühmten Vernichtungsschlacht bei Cannae im süditalischen Apulien. Auch in Spanien blieb den Römern zunächst ein durchschlagender Erfolg versagt. Noch 211 erlitten ihre Feldherren, P. und Cn. Cornelius Scipio, eine schwere Niederlage.

Nach der Niederlage bei Cannae ging Rom in Italien zu einer Ermattungsstrategie über, für die der Name des zeitweiligen Oberbefehlshabers Fabius Maximus mit dem Beinamen *Cunctator* (der Zauderer) sprichwörtlich geworden ist. Die Römer konnten sich mit gutem Grund ausrechnen, daß ihre überlegenen Ressourcen ihnen letzten Endes den Sieg sichern würden. Die Mittel, die Hannibal und die Karthager einzusetzen hatten, blieben wirkungslos. Hannibal versuchte, letztlich vergeblich, das römische Bundesgenossensystem in Süditalien aufzulösen. Wer sich Hannibal anschloß, wich der Drohung überlegener Gewalt. Ein allgemeiner Abfall von Rom blieb aus. Die Ausweitung des Krieges auf Nebenschauplätze führte nur zur Verzettelung der beschränkten karthagischen Kräfte.

Der Kampf um Sizilien endete damit, daß Rom auch noch Syrakus, die letzte selbständige Macht auf der Insel, unterwarf. Die Kooperationsabrede, die Hannibal nach der Schlacht bei Cannae mit Philipp V. von Makedonien traf, konnte Rom unter geringem Kräfteeinsatz konterkarieren: Es trat in einen Krieg ein, den die nordwestgriechischen Ätoler und ihre Bundesgenossen gegen den makedonischen König führten (1. Makedonischer Krieg: 212–205).

Die entscheidende Wende des Krieges trat ein, als die Römer in Spanien die Oberhand gewannen. Die letzten Verstärkungen, die Hannibals Bruder Hasdrubal von Spanien nach Italien führte, wurden 207 vernichtet. Als die Römer dann unter Führung des älteren Scipio, der zuvor Spanien gewonnen hatte, die Offensive ergriffen und von Sizilien aus in Afrika landeten, mußte Hannibal Italien räumen. In der Entscheidungsschlacht bei Zama unterlag er 202 seinem Gegenspieler.

Der Friede von 201, der den 2. Punischen Krieg beendete, unterschied sich grundlegend von dem, der nach dem 1. Punischen Krieg geschlossen worden war. Damals waren Karthago, von der Räumung Siziliens und der Zahlung einer Kriegsentschädigung abgesehen, keine weiteren Auflagen gemacht worden. Der neue Friede setzte den Verlust Spaniens an Rom bereits voraus und stipulierte nur noch, was Karthago erhalten blieb und welche zusätzlichen Auflagen der Stadt gemacht werden sollten. Zugesprochen wurden ihr, zumindest prinzipiell, der afrikanische Besitz sowie die Freiheit, nach den eigenen Gesetzen zu leben. Diesem Zugeständnis standen Rüstungsbeschränkungen und die Souveränitätsminderung gegenüber, daß Karthago nur noch mit römischer Zustimmung Krieg führen durfte. Hinzu kamen eine gewaltige Kriegsentschädigung, zahlbar in 50 Jahresraten, und die Stellung von Geiseln. Mit dem numidischen Königreich des Masinissa, eines römischen Bundesgenossen, erhielten die Karthager zudem einen unangenehmen Nachbarn (im heutigen nordöstlichen Algerien). Der Friede von 201 zeigt also: Rom war nicht mehr bereit, Karthago als selbständige Großmacht zu dulden. Unmittelbar nach dem Friedensschluß mit Karthago ergriff der Senat die sich bietende

Gelegenheit, mit Philipp V. von Makedonien, Hannibals Bundesgenossen, abzurechnen.

Rom und die hellenistische Staatenwelt

Die hellenistische Staatenwelt des 3. Jhs. war das Ergebnis der Kämpfe, die 323–276 um das Erbe Alexanders d. Gr. ausgetragen worden waren. Sie erstreckte sich über einen Raum, der von der Adria bis zu den Grenzen Indiens, vom Hindukusch bis Ägypten reichte, und sie bestand aus drei großen Monarchien, den Herrschaftsgebieten kleinerer Dynasten, einigen griechischen Bundestaaten sowie einer großen Zahl selbständiger griechischer Städte. Durch die Städtegründungen Alexanders d. Gr. und seiner Nachfolger war der Typus der griechischen Polis im Osten bis zum Zweistromland und darüber hinaus verbreitet worden. Die drei großen Reiche der Antigoniden, der Ptolemäer und der Seleukiden hielten die hellenistische Staatenwelt in einem labilen Gleichgewicht. Das Kernland der Antigoniden war Makedonien. Die Dynastie besaß darüber hinaus Stützpunkte in Griechenland, und ihre Ambitionen erstreckten sich auf den Ägäisraum, die Meerengen und das westliche Kleinasien. Ihre Hauptrivalen waren die Ptolemäer in Ägypten, die ihrerseits Streubesitz im Ägäisraum und im südlichen Kleinasien hatten und politischen Einfluß in Griechenland ausübten. Die Haupterben des Perser- bzw. des Alexanderreiches waren indes die Seleukiden. Kernländer waren das nördliche Syrien und das Zweistromland, aber auch große Teile Kleinasiens und das iranische Hochland gehörten mit wechselnden Grenzen zu ihrem Reich. Es stellte eine Oberherrschaft dar, die sich über ein Konglomerat von Dynasten, Tempelorganisationen und Städten griechischer oder phönikischer Herkunft erstreckte. In dieser Struktur lag die spezifische Schwäche dieses Großreiches. Es war vom Partikularismus seiner Teile bedroht, und es hing von vielfältigen Umständen und nicht zuletzt auch von den Qualitäten seines Herrschers ab, ob es zusammengehalten und sein Potential mobilisiert werden konnte.

Als 204 der unmündige Sohn Ptolemaios' IV. den Thron Ägyptens bestieg, gingen sowohl Antiochos III. als auch Philipp V. daran, aus der Schwäche des Ptolemäerreichs Nutzen zu ziehen. Der Seleukide eroberte das ptolemäische Koilesyrien (das Libanongebiet und Palästina) und begann, verlorenes Terrain im westlichen Kleinasien zurückzugewinnen. Dort kam es auch zu einem (begrenzten) Kooperationsabkommen mit Philipp V., der seinerseits damit begann, in der Ägäis, im südwestlichen Kleinasien und vor allem im Bereich der Meerengen seine Herrschaft auszudehnen. Alarmiert von diesem Griff nach der strategischen Schlüsselregion der Meerengen, trat dem Makedonenkönig eine Koalition entgegen, deren führende Mächte der König Attalos I. von Pergamon und die bedeutende See- und Handelsstadt Rhodos waren. Sie wurden in Rom vorstellig, und der Senat war willens, an der Seite der Verbündeten in den Krieg einzutreten – nicht aus Furcht vor der wachsenden Macht Makedoniens, sondern um ein Exempel an dem ehemaligen Bundesgenossen Hannibals zu statuieren und Makedonien auf den Status einer Mittelmacht mit beschränkter Souveränität herabzudrücken. Die Gegner Makedoniens in Griechenland zu sammeln, war keine schwierige diplomatische Aufgabe, und auch die Abneigung der Volksversammlung gegen einen neuen Krieg wurde überwunden. Nach einigen Jahren unentschiedener Kriegführung errangen die Römer 197 unter Führung des T. Quinctius Flamininus den kriegsentscheidenden Sieg.

Die Friedensregelung erwies sich als schwierig. Von griechischer Seite wurde einerseits die Vernichtung Makedoniens gefordert und andererseits der Verdacht verbreitet, daß Rom in Griechenland in die Position Makedoniens einzutreten und sich in den Besitz strategisch wichtiger Plätze wie Korinth, Chalkis auf Euböa und Demetrias in Thessalien zu setzen beabsichtigte. Die Regelung, die Flamininus schließlich durchsetzte, drängte Makedonien aus Griechenland heraus und erklärte alle griechischen Staaten in Europa und in Kleinasien für frei. Aber abgesehen davon, daß in den verworrenen Verhältnissen der griechischen Staatenwelt der Teufel im Detail steckte und die Realisierung der griechischen Freiheit die Lösung zahlreicher lokaler Konflikte und Streitigkeiten voraussetzte: Das Hauptproblem war, daß Antiochos III. die Niederlage Makedoniens dazu benutzte, griechische Städte im westlichen Kleinasien und in Europa (im Bereich der Meerengen) in seine Gewalt zu bringen. Damit wurde Rom in eine peinliche Lage versetzt, und es griff schließlich, um das Gesicht zu wahren, für das Prinzip der griechischen Freiheit zu den Waffen.

Der Waffengang (191–188) endete mit dem Sieg Roms, und die Friedensregelung entsprach im großen und ganzen der mit Philipp V. getroffenen. Antiochos III. mußte, von der obligatorischen Kriegsentschädigung und den Rüstungsbeschränkungen abgesehen, Kleinasien nördlich des Taurusgebirges räumen. Damit waren die griechischen Kernräume der hellenistischen Welt, Griechenland und Kleinasien, den Herrschaftsaspirationen der alten hellenistischen Großmächte verschlossen. Das entscheidende Machtwort bei der Regelung der territorialen Verhältnisse in Kleinasien sprach Rom, so wie es das auch in Griechenland getan hatte. Hauptnutznießer wurde die Dynastie von Pergamon, doch dieser bedeutenden Mittelmacht stand eine große Zahl von freien Städten, kleineren und größeren Dynasten sowie Tempelherrschaften gegenüber.

Was Rom mit den Friedensregelungen von 201, 196 und 188 beabsichtigte, liegt auf der Hand. Es schuf zu seinen Bedingungen eine neue Ordnung der Mittelmeerwelt, und das hieß vor allem: Den alten Großmächten blieb nur noch ein enger außenpolitischer Spielraum. Den Konsequenzen dieser von Rom selbst geschaffenen Lage war die römische Politik freilich nicht gewachsen. Auf die auftretenden Schwierigkeiten antwortete es mit der Vernichtung der makedonischen Monarchie (168) und Karthagos (146). Die Auflösung des hellenistischen Staatensystems zwang Rom zuletzt zu dem Schritt, den es ursprünglich hatte vermeiden wollen: in das Machtvakuum einzutreten und die Länder der Mittelmeerwelt unter seiner Herrschaft zu organisieren.

Das Problem war, daß das von Rom geschaffene Staatensystem sich als unfähig erwies, seine großen und kleinen Streitigkeiten selbständig zu lösen. In allen Fragen, auch in Bagatellsachen, wurde Rom angerufen, und es lag in der Natur der Sache, daß sowohl die Abneigung als auch die Entschlossenheit des Senats, in fremden Streitigkeiten zu intervenieren, das Potential an Mißvergnügen und Unzufriedenheit mit einer Ordnung steigerte, für die Rom letztlich die Verantwortung trug. In einer solchen politischen Atmosphäre gediehen Überreaktion und der Griff zur Gewaltanwendung. Der drohende Wiederaufstieg Makedoniens zu einer Vormacht in Griechenland und die Schwierigkeiten, die aus den Konflikten zwischen König Masinissa und Karthago erwuchsen, führten zur Liquidierung der makedonischen Monarchie und zur Vernichtung Karthagos. Das Ende beider Mächte zwang Rom freilich zur Übernahme direkter Verantwortung.

Das karthagische Territorium wurde 146 als Provinz Africa organisiert. Auf der Balkanhalbinsel mußte Rom nach Niederschlagung einer Aufstandsbewegung in Makedonien und Griechenland, in deren Verlauf Korinth im selben Jahr wie Karthago zerstört wurde, den Schutz der makedonischen und griechischen Gemeinden vor den Illyrern und Thrakern übernehmen. Gefördert wurden die Anfänge einer römischen Reichsbildung auf dem Boden der hellenistischen Staatenwelt durch die Testamente einzelner Dynasten, mit denen sie, um auf ihre Weise klare Verhältnisse zu schaffen, ihre Reiche den Römern vermachten. Dies taten Attalos III. für das Pergamenische Reich (133), ein Ptolemäer für die Kyrenaika (96) und Nikomedes IV. für Bithynien im nordwestlichen Kleinasien (74). Die betreffenden Gebiete wurden zu Kristallisationskernen eines von Rom organisierten Untertanenverbands im Osten des Mittelmeeres.

In eine Krise geriet Roms Stellung noch einmal durch König Mithridates VI. von Pontus. Das Reich dieses Dynasten iranischer Herkunft umfaßte den Nordosten Kleinasiens sowie die griechischen Städte auf der Krim und der Halbinsel von Kertsch. Den Anlaß zur Offensive des Königs boten römische, den König benachteiligende Entscheidungen in Territorialstreitigkeiten. Als Rom in einen Krieg mit seinen italischen Bundesgenossen verwickelt war, holte Mithridates 88 zum Schlag aus.

Dabei bediente er sich des im Osten verbreiteten Hasses gegen die römische Herrschaft. Kleinasien und Griechenland fielen dem Befreier zu. Zwar stellte P. Cornelius Sulla den alten Zustand wieder her (88–85), doch erst Pompeius beseitigte das Chaos im Osten und schuf 63 militärisch klare Verhältnisse.

Das Chaos war nicht zuletzt auch eine Folge des Niedergangs des Seleukidenreichs. 130/29 verlor es das Zweistromland an das im 3. Jh. v. Chr. im iranischen Hochland entstandene Partherreich. Judäa löste sich unter der Führung der Hasmonäer aus dem seleukidischen Reichsverband und breitete sich auf Kosten seiner Nachbarn aus. Hinzu kamen dynastische Konflikte. Schließlich nahm der mit Mithridates VI. kooperierende König Tigranes I. von Armenien 83 die Reste des Seleukidenreiches in Syrien und Kilikien in Besitz.

Pompeius begann 67 mit der Beseitigung der Seeräuberplage, die eine lästige Folgeerscheinung des im Osten eingetretenen Machtvakuums war, und er organisierte Kilikien im südöstlichen Kleinasien, eine der Hauptbasen des organisierten Seeraubs, als römische Provinz. Dann folgte 63, nach dem Sieg über Mithridates VI. und Tigranes I., die Neuordnung des gesamten Ostens. Ihr Kernstück war die Schaffung der Provinzen Pontus, Bithynien und Syrien. Durch zahlreiche Städtegründungen schuf Pompeius zum Teil erst die administrative Infrastruktur für eine römische Verwaltung. Den Provinzen waren in Kleinasien und im Vorderen Orient zahlreiche von Rom abhängige Fürstentümer und Königreiche, die sog. Klientelstaaten, zugeordnet. Gegenüber den Parthern zeichnete sich eine Demarkationslinie am Oberlauf des Euphrat ab. Entlang dieser Linie wurde der Raum, über den sich das hellenistische Staatensystem erstreckt hatte, unter seine Erben geteilt. Dem Partherreich fiel der Osten, den Römern der um das Mittelmeer gelegene Westen zu.

Die Anfänge des Römischen Reiches

Die Entstehung des Römischen Reiches war nicht das Ergebnis planvoller Eroberungspolitik, sondern eines fast 200 Jahre dauernden Prozesses. Jeder Schritt, der letztlich zur Bildung des Weltreiches beitrug, beruhte auf einer Einzelentscheidung, die auf eine bestimmte Herausforderung reagierte. Freilich verschoben sich im Laufe der Zeit auch die Zielsetzungen römischer Politik. Zumindest im Rückblick lassen sich vier Hauptphasen unterscheiden. Im 3. Jh. ging es um die Sicherung Italiens gegenüber Karthagern, Kelten und Illyrern, und das Mittel war die Kontrolle des Vorfeldes bzw. der Gegenküsten und vorgelagerten Inseln (264–218). Dann führte die Erfahrung des 2. Punischen Krieges und der Intervention in Griechenland dazu, daß die gegnerischen Großmächte der römischen Kontrolle, u. a. durch Souveränitätsminderungen, unterworfen wurden (201–188). Das Scheitern dieses politischen Konzepts wurde mit der Vernichtung der alten Gegenspieler Makedonien und Karthago beantwortet (168–146). Danach kam es, zunächst zögerlich, später mit einem klaren Konzept, zur Errichtung eines römischen Herrschaftsverbands (*imperium Romanum*).

Als Rom nach dem 1. Punischen Krieg Sizilien, Sardinien und Korsika seiner Kontrolle unterstellte, war das zugrunde liegende Motiv, Karthago von den Italien vorgelagerten Inseln fernzuhalten. Für den möglichen Kriegsfall mußte eine militärische Infrastruktur geschaffen werden, und insbesondere für das kostspielige Flottenwesen wurden die Untertanen zu anteiligen Leistungen herangezogen. Gut ist die Quellenlage zu den Verhältnissen auf Sizilien. Dort war Messana in das italische Bundesgenossensystem aufgenommen worden, und mit dem syrakusanischen Reich des Königs Hieron bestand ein Bundesvertrag mit dem Versprechen gegenseitiger Hilfe. Zu finanziellen und Naturalleistungen an Rom waren sie nicht verpflichtet. Anders stand es mit den Gemeinden des Westens, die Karthago untertänig gewesen waren. Sie hatten Schiffsraum zu stellen, Nachschub zu liefern oder sonstige Sachleistungen zu erbringen. An die Spitze dieser an einem militärischen Zweck ausgerichteten Organisationsstruktur wurde mit einjähriger Amtszeit und mit Amtssitz im westsizilischen Hafen von Lilybaeum ein Flottenkommissar (*quaestor classicus*) gestellt. Erst 226, als sich Rom infolge der karthagischen Expansion in Spanien und der Konfrontation mit den Kelten Norditaliens zu präventiven Maßnahmen entschloß, wurde in Sizilien ein Magistrat mit militärischer Kommandogewalt, ein Praetor, eingesetzt. Als im 2. Punischen Krieg das syrakusanische Königreich annektiert wurde, übernahmen die Römer auch das hellenistische System einer intensiven Besteuerung. Zum Amtsbereich (*provincia*) des Statthalters gehörte nunmehr auch die Aufsicht über ein Steuersystem, das mit Hilfe lokaler Steuerpächter und unter Mithilfe der untertänigen Gemeinden den Amtsbezirk (dies ist die lokale Bedeutung von *provincia*) fiskalisch ausbeutete. In Spanien durchdrangen sich von Anfang an die beiden Ziele direkter Herrschaftsausübung: das politisch-militärische und das fiskalische. Spanien sollte den Ambitionen Karthagos für immer entzogen bleiben, und vor allem sollte aus den Silber-, Kupfer-, Eisen- und Zinnminen des Landes Gewinn gezogen werden. Allein die Silberausbeute erbrachte, so wird berichtet, 25000 Drachmen pro Tag. Daneben übernahmen die Römer von den Karthagern den Brauch, von den untertänigen Stämmen Tribute zum Unterhalt der im Lande stationierten Truppen zu fordern. Die Tribute wurden zunächst nach dem Bedarf kalkuliert, später (seit 180/78) wurde eine 5%ige Abgabe von dem (geschätzten) Getreideertrag erhoben. Befriedet war die iberische Halbinsel mit dem Ende des 2. Punischen Krieges nicht. Die Größe des Landes, die kriegerische Wildheit der keltiberischen Stämme und die Unzugänglichkeit der Bergregionen zwangen Rom zu einem großen Kräfteeinsatz. 197 wurden zwei große Militärbezirke eingerichtet, und immer wieder mußten große Heere eingesetzt werden. Dennoch ist die endgültige Befriedung Spaniens erst Kaiser Augustus gelungen. Spanien warf große Erträge ab, aber dafür mußte der Preis eines hohen und dauernden Kräfteeinsatzes mit entsprechend hohen Verlusten entrichtet werden. Die Erfahrungen, die Rom mit den spanischen Provinzen machte, waren also zwiespältig. So erklärt es sich, daß im 2. Jh. der Bereitschaft zu militärischer Intervention im Osten die Abneigung entsprach, sich mit neuen Provinzen zu belasten. Selbst als Rom 168 die makedonische Monarchie zerschlug, wurde Makedonien nicht als Provinz organisiert, und erst nach Niederwerfung einer Aufstandsbewegung in Makedonien und Griechenland konnte Rom 146 nicht mehr vermeiden, die Verantwortung für den Schutz des Landes zu übernehmen. Im selben Jahr wurde Karthago zerstört, und Rom trat in die Stellung ein, die bis dahin Karthago gegenüber seinen Untertanen eingenommen hatte. Dieser Schritt war schon deshalb unerläßlich, weil anders dem Expansionsdrang des Numider schwer Grenzen gesetzt werden konnten.

Die nächste Etappe der Bildung eines mediterranen Reichsverbands war mit dem Erbe des Pergamenischen Reiches gegeben (133). Dann verwickelte der Aufstand eines Thronprätendenten Rom in einen Krieg, und schließlich bestimmte C. Gracchus die reiche Provinz zum Ausbeutungsobjekt römischer Steuerpächter (123), um Geld und Verbündete für seine innenpolitischen Reformprojekte zu mobilisieren. Der hohe Entwicklungsstand des städtereichen Ostens und die hellenistische Tradition einer umfassenden rationellen Besteuerung boten einen starken Anreiz zur Schaffung weiterer militärisch-fiskalischer Amtsbezirke nach dem Vorbild der Provinz Asia. Aber damit es dazu kam, mußte anderes hinzutreten: die Notwendigkeit einer politisch-militärischen Stabilisierung und der Ehrgeiz römischer Aristokraten, die darauf aus waren, sich mit den Ressourcen der Provinzen eine Vormachtstellung in der römischen Politik zu verschaffen. Die Karriere des Pompeius beleuchtet beispielhaft diesen Zusammenhang.

Unter Provinz ist freilich nicht ausschließlich der organisierte Amtsbezirk eines Statthalters zu verstehen, der militärisch-administrative mit fiskalischen Aufgaben verband. Provinz bezeichnete ja auch den Operationsbereich eines Militärbefehlshabers, und diese ursprüngliche Bedeutung war durch die neuere noch keineswegs verdrängt. Als Rom im Hinterland des verbündeten Massalia die keltischen Stämme befriedete und zum Schutz der Verbindungsstraße nach Spanien 118 die Kolonie Narbo (Narbonne) gründete, war die neue gallische Provinz ebenso wie die ältere in der Poebene kaum mehr als ein militärischer Operationsbezirk. Freilich: Die Grenzen waren fließend. Als Caesar 58–50 Statthalter im Diesseitigen und Jenseitigen Gallien war, hatte er in den befriedeten Gebieten, insbesondere in Norditalien, jurisdiktionelle und administrative Aufgaben zu erfüllen, aber das weite Vorfeld des Jenseitigen Gallien war Provinz im Sinne eines militärischen Operationsfeldes.

Die Provinzen, die durch ein Provinzialstatut (*lex provinciae*) als administrativ-fiskalische Amtsbezirke definiert waren, waren nicht nach einem einheitlichen Prinzip organisiert. Von einzelnen Kolonien (vor allem im Diesseitigen, aber auch im Jenseitigen Gallien und den spanischen Provinzen) abgesehen, zerfielen die indigenen Stämme und Städte in drei Kategorien: in die Masse der Untertanen, die steuer- und abgabepflichtig waren, in freie Gemeinden, die Steuerfreiheit und innere Autonomie genossen, und Verbündete, die kraft Vertrag darüber hinaus von Requirierung, Einquartierung und Aushebung befreit waren. Die Rechtsstellung der einzelnen Gemeinden hing davon ab, unter welchen Umständen sie in den Verband des entstehenden Römischen Reiches eingetreten waren.

Es ist leicht einzusehen, daß mit der Ausweitung des Römischen Reiches das Führungspotential der regierenden Klasse nicht Schritt hielt. Die höchste militärisch-zivile Gewalt (*imerium*), die ihre Träger für die Leitung der Regierung und der Rechtssprechung in Rom sowie für das Kommando in den Provinzen qualifizierte, war auf insgesamt 6, seit der Reform des Diktators Sulla (81/80) auf 10 Jahresstellen begrenzt. Schon im 2. Jh. reichte die Zahl der Amtsträger nicht aus. Man half sich damit, daß die Amtsgewalt über das eigentliche Amtsjahr hinaus verlängert wurde. Die Betreffenden übten dann in den Provinzen das Imperium anstelle von Konsuln oder Praetoren aus (*pro consule bzw. pro praetore*).

Freilich: Die Abgrenzung von Amtsbezirken, Amtszeiten und Kompetenzen warf Probleme auf, die Gegenstand einer Spezialgesetzgebung waren. Es war der Diktator Sulla, der sie (vorläufig) löste. Vor allem aber: Die Notwendigkeit einer die Grenzen der einzelnen Amtsbezirke übergreifenden Kriegführung machte *übergeordnete* Kommandos sinnvoll. Ehrgeiz und militärische Fähigkeiten einzelner Mitglieder der regierenden Klasse brachten das Problem der außerordentlichen, mehrjährigen Kommandos auf die Tagesordnung der innenpolitischen Auseinandersetzung. Pompeius und Caesar stellten mit den Mitteln des außerordentlichen Kommandos das kollektive Regiment ihres Standes in Frage. Sie waren die Schöpfer großer neuer Herrschaftsbezirke, und als solche verkörperten sie die Gefahren, die der Republik durch die Existenz des Reiches drohten. Die Erkenntnis Montesquieus, daß das Römische Reich die Römische Republik zerstörte, hat auch im Lichte moderner Forschung nichts von ihrem Erkenntniswert verloren.

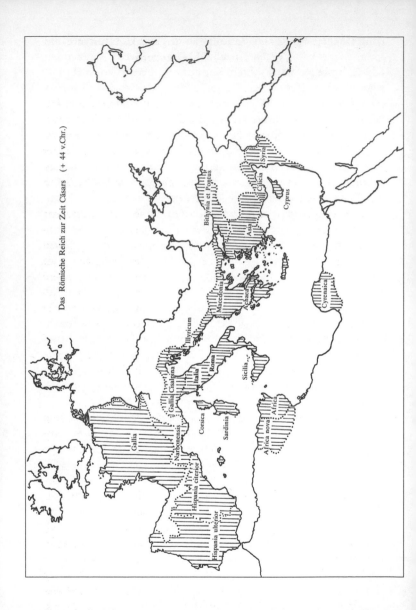

Das Römische Reich zur Zeit Cäsars (+ 44 v.Chr.)

Gallia

Narbonensis

Gallia Cisalpina

Illyricum

Italia

Roma

Bithynia et Pontus

Macedonia

Asia

Achaia

Cilicia

Syria

Cyprus

Hispania citerior

Corsica

Sardinia

Sicilia

Cyrenaica

Hispania ulterior

Africa nova

Africa

III. Die Krise der Republik und die Entstehung
des römischen Kaisertums

Roms Aufstieg zur Weltmacht veränderte die Gesellschaft Italiens und machte die gesamte staatliche Ordnung reformbedürftig. Aber der Reform*bedürftigkeit* entsprach die Reform*fähigkeit* in keiner Weise. Die Republik ging in einem Zeitalter der Bürgerkriege zugrunde, und erst mit dem römischen Kaisertum wurde die Form gefunden, in der das Römische Reich die Gewähr einer lang dauernden Existenz fand.

Die Veränderung, der die Gesellschaft seit der Mitte des 3. Jhs. unterlag, war ein vielschichtiger, widersprüchlicher Prozeß, der in gleicher Weise das geistige und das materielle Leben betraf. Wichtige Anregungen gingen von der Begegnung mit der hellenistischen Welt aus. Die Römer gerieten wie andere nichtgriechische Völker auch in die Anziehungskraft der hellenistischen Weltkultur. Griechischer Lebensstil, griechische Kunst und Literatur wurden als Herausforderung, als Bereicherung und Gefährdung in einem erfahren, und in diesem Spannungsverhältnis vollzog sich der Eintritt der Römer in die griechisch geprägte Kultur der mediterranen Welt. Am Beispiel der Entstehung einer römischen Literatur soll von diesen Verhältnissen kurz die Rede sein.

Die Aneignung der literarischen Kultur der Griechen ging von den Bedürfnissen der Schule und der Bühne aus. Livius Andronicus begann nach dem 1. Punischen Krieg mit der Übersetzung der Odyssee, es folgte die Produktion für Bühnenspiele, die Bearbeitung griechischer Tragödien und Komödien. Insbesondere die erhaltenen Stücke der Komödiendichter Plautus (gest. 184) und Terenz (gest. 159) geben einen lebendigen Eindruck von der römischen Bühnenkunst dieser Zeit. Daß sich fast gleichzeitig das Bedürfnis nach einer Selbstdarstellung in den Formen des Epos und der Geschichtsschreibung zu Wort meldete, war die Wirkung des Selbstgefühls, das den Aufstieg Roms zur Weltmacht begleitete. Cn. Naevius, selbst Teilnehmer am 1. Punischen Krieg, verfaßte das Epos dieses Krieges, das *Bellum Poinicum*. Dann schuf Q. Ennius (239–169) das Nationalepos der *Annales* (Jahrbücher), und er hat dem historischen Epos Dramen an die Seite gestellt, die Stoffe der römischen Frühgeschichte und einen Feldzug der Zeitgeschichte auf die Bühne brachten. Die Geschichtsschreibung wandte sich zunächst an Griechen und verfolgte den Zweck, ihnen ein vorteilhaftes Bild des römischen Staates und der römischen Politik zu zeichnen. Aber mit dem älteren Cato (234–149) begann die Reihe der lateinisch schreibenden Historiker, die sich an ein römisches Publikum wandten. Catos Geschichtswerk, die *Origines* (Ursprünge), verfolgte den originellen Ansatz, auch die italischen Wurzeln der römischen Geschichte offenzulegen. Der zeitgeschichtliche Teil des Werkes diente Cato dazu, seine eigene Rolle in den politischen Auseinandersetzungen des 2. Jhs. ins Licht zu rücken, und zu diesem Zweck machte er Gebrauch von den Reden, die er selbst im Senat oder vor dem Volk gehalten hatte. Die Literatur wurde so zu einem Medium politischer Beeinflussung. Überhaupt war es eine Entdeckung der Zeit, daß sich in der Literatur verschiedene Anliegen zu Wort melden konnten, ob es sich nun um eine rationell betriebene Landwirtschaft, um Medizin oder Philosophie handelte. Freilich: Die Wirkung dieser Entdeckung war zwiespältig. Der intellektuelle Diskurs stellte das scheinbar Selbstverständliche in Frage, mochte es sich um die Grundlagen der positiven Religion oder um das Axiom der Rechtmäßigkeit römischer Herrschaft handeln.

Die Kultur der Griechen erschien nicht nur als Bereicherung der eigenen Lebenswelt, sie bedeutete auch eine Bedrohung traditioneller Normen (*mos maiorum*). Der Stolz auf die Weltgeltung Roms und auf die Eroberung neuer Ausdrucksmöglichkeiten der lateinischen Sprache wurde durch eine tiefe Verunsicherung konterkariert. Diese Verunsicherung hatte indes tiefere Wurzeln als das Unbehagen an der zugleich faszinierenden und abstoßenden hellenistischen Zivilisation. Sie reichten bis in die tieferen Schichten der Ökonomie und Sozialverfassung. Von dort her entwickelt sich die Krise, die in der Katastrophe der Republik endete.

Mit dem Ausgreifen Roms nach Süditalien, Sizilien, Illyrien und Griechenland gewann man Anschluß an die entwickelte Münzgeldwirtschaft der hellenistischen Welt. Erst mit dem Münzgeld wurde es möglich, den umfangreichen Heeres- und Flottenbedarf zu beschaffen, und umgekehrt brachten die siegreich beendeten Kriege in Form von Kriegsentschädigungen und Beutegut ein Vielfaches der in die Rüstung investierten Gelder nach Italien zurück. Zwischen 201 und 151 ging allein an Kriegsentschädigungen die enorme Summe von 162 Mio. Denaren ein. An der Kriegsbeute hatten Feldherren und Soldaten Anteil, und in den Provinzen fanden die Statthalter und ihr Stab Gelegenheit zu finanzieller Bereicherung. Alles in allem bewirkte der Zustrom von Geld eine Differenzierung der Gesellschaft zugunsten ihrer wohlhabenden Schichten. Die politische Klasse profitierte von Krieg und Provinzverwaltung, und wer über agrarische Überschüsse, über die Mittel zur Produktion des Heeres- und Flottenbedarfs sowie zur Übernahme von Bauaufträgen verfügte, konnte große Gewinne machen. Erworbenes Geld wurde aus vielerlei Gründen vor allem in Landbesitz investiert. Er vermittelte gesellschaftliches Prestige, und er war die Sicherheit, die bei Abschluß von Lieferungs- und Leistungskontrakten von Staats wegen ebenso wie von privater Seite gefordert wurde. Es ist verständlich, daß auch die grundbesitzende Klasse der Senatoren die Konjunktur nutzen und sich an den gewinnbringenden geschäftlichen Transaktionen beteiligen wollte. Damit drohte freilich die Vermengung von politischen und geschäftlichen Interessen. 218 versuchte ein Gesetz, dem einen Riegel vorzuschieben, und damit begann eine Flut von gesetzgeberischen Maßnahmen, mit denen traditionelle Normen gegen alle möglichen Veränderungen einer in Bewegung geratenen Gesellschaft abgeschirmt werden sollten.

Diese Gesetze betrafen die private Lebensführung wie die öffentliche Funktion der regierenden Klasse und hatten das Ziel, ein an der (idealisierten) Tradition orientiertes Maß von Gleichheit zu fixieren. Als um 180 der Überschuß an Land, der infolge der nach dem Hannibalkrieg verhängten Konfiskationen vorhanden war, reichen Interessenten zur Okkupation freigegeben wurde, setzte der Staat für Ackerland und für Vieh-weide (großzügig bemessene) Obergrenzen fest. Dies erschien um so wichtiger, als die Besitzdifferenzierung der Motor des gesellschaftlichen Wandels war. Die großen Kriege hatten Geld und Sklaven nach Italien gebracht, und damit standen die Mit-tel für eine Akkumulierung von Grund und Boden bereit. Für eine spezialisierte, Überschüsse produzierende Landwirtschaft gab es einen Markt, dessen Bedürfnisse die Subsistenzwirt-schaft des bäuerlichen Familienbetriebs nicht decken konnte. Alle diese Voraussetzungen begünstigten die Entstehung eines Großgrundbesitzes.

In dieser Entwicklung lag an sich noch keine Bedrohung der bäuerlichen Subsistenzwirtschaft. Die Kleinbauern litten nicht unter der Konkurrenz der Großgrundbesitzer; denn sie pro-duzierten nicht oder nur am Rande für den Markt. Hinzu kommt, daß nach dem Hannibalkrieg durch Koloniegründun-gen in Süd- und Norditalien sowie durch Landzuweisungen an Veteranen noch einmal eine große Zahl von Bauernstellen neu geschaffen wurde. Aber dieses Siedlungsprogramm fand um 170 ein Ende. Land war kein vermehrbares Gut, und da unter den Bedingungen der antiken Landwirtschaft der einzelne Bau-er nicht viel mehr Boden bearbeiten konnte, als er zum Unter-halt einer Familie benötigte, drohte seinen Kindern aufgrund der üblichen Erbteilung der Verlust der bäuerlichen Lebens-grundlage. Der saisonale Arbeitskräftebedarf der spezialisier-ten Güter des Großgrundbesitzes mochte in dieser Situation der kleinbäuerlichen Bevölkerung einen zusätzlichen Verdienst bringen: Aber damit wurde nicht verhindert, daß Teile dieser Bevölkerung durch Verminderung ihres Landbesitzes aus dem Verzeichnis der Wehrfähigen gestrichen werden mußten. Schon zur Zeit des Hannibalkrieges war deshalb das geforderte Min-destvermögen im Interesse des Wehrpotentials drastisch herab-gesetzt worden. Nachdem die Zahl der Wehrfähigen sich in den ersten Jahrzehnten nach dem Hannibalkrieg von 214 000 auf 339 000 Köpfe erhöht hatte, war es nach 163 leicht rück-läufig und fiel bis 135 um 19 000. Diese Entwicklung löste in der regierenden Klasse große Besorgnis aus. Das weltpolitische

Engagement Roms belastete das traditionelle Milizsystem quantitativ und qualitativ über jedes vertretbare Maß hinaus. Im 2. Jh. mußten nicht nur für die zeitlich begrenzten Kriege gegen die hellenistischen Reiche bzw. gegen Karthago (3. Punischer Krieg) große Heere mobilisiert werden. Belastender war die Notwendigkeit, auf Dauer Truppen in Norditalien und in Spanien zu unterhalten. Insbesondere der verlustreiche und langwierige Krieg, der 154 in Spanien ausbrach und erst 133 beendet werden konnte, stürzte das römische Heer in eine tiefe Krise. Mehrjährige Dienstzeit in Übersee, der Rückgriff auf Rekruten, die das vorgeschriebene Mindestalter noch nicht erreicht hatten, eine hohe Verlustrate und das Fehlen materieller Anreize – es gab weder nennenswerte Beute noch die Aussicht auf eine Bauernstelle in Italien – hatten eine demoralisierende Wirkung. Widerstand gegen Aushebungen regte sich, und die Regierung schwankte zwischen hartem Durchgreifen und der Neigung, den Klagen der Betroffenen abzuhelfen. Aus diesen Voraussetzungen sind die gracchischen Reformversuche und die tiefgreifende Krise des politischen Systems erwachsen.

Vom Reformversuch zum Bürgerkrieg

Tiberius Gracchus, aus vornehmer Familie stammend, war 133 als Volkstribun der Exponent einer Gruppe von Aristokraten, die sich den bereits 140 von einer rivalisierenden Senatsfaktion ins Spiel gebrachten und wieder zurückgezogenen Plan einer Agrarreform zu eigen machte. Vorgesehen wurde die Einziehung des nach 180 okkupierten Landes, soweit es die Höchstgrenze von 500 bzw. 1000 Morgen Ackerland überstieg. Das eingezogene Land sollte an bäuerliche Siedler verteilt werden. Nicht ohne Grund hatten die ursprünglichen Initiatoren den Plan fallengelassen. Das Verteilungsobjekt war begrenzt und reichte allenfalls für eine einmalige Landverteilung aus. Auf das Hauptproblem, daß nämlich das kleinbäuerliche Milizsystem mit der militärischen Beanspruchung durch ein Weltreich unvereinbar war, wußten die Agrarreformer keine Antwort. Sie scheinen auch das Ausmaß des Widerstandes nicht richtig eingeschätzt zu haben, auf den ihr Plan bei den abgabepflichtigen Großgrundbesitzern stieß. Ihrem Widerstand wollte Ti. Gracchus dadurch die Spitze abbrechen, daß er in seinen Gesetzesvorschlag einen Passus aufnahm, der der Verteilungskommission – sie bestand aus prominenten Anhängern der Reform – die jurisdiktionelle Entscheidungsbefugnis in strittigen Fällen zuschanzte. Gegen das Reformgesetz legte ein Kollege des Ti. Gracchus sein Veto ein. Damit war das Gesetz eigentlich gescheitert, aber Ti. Gracchus wollte sich nicht geschlagen geben, und er ließ seinen Kollegen von der Volksversammlung absetzen. Dies war ein Schritt, der das politische System an seinem empfindlichen Nerv traf. Das kollegiale Veto war ein verfassungskonformes Mittel, dessen sich der Senat zur Abblockung unerwünschter magistratischer Initiativen zu bedienen pflegte. Die Möglichkeit zeichnete sich nunmehr ab, daß ein Volkstribun mit Hilfe der Volksversammlung gegen den Senat regierte. Die Ordnung der aristokratischen Republik war in Frage gestellt.

Auf die Verabschiedung des umstrittenen Agrargesetzes folgte unter Umgehung des Senats der Beschluß, die attalidische Erbschaft (vgl. S. 31) zur Finanzierung der Agrarreform zu verwenden, und schließlich betrieb Ti. Gracchus entgegen dem Herkommen seine Wiederwahl zum Volkstribun. In gespannter Atmosphäre griff der Senat zur Gewalt. Ti. Gracchus wurde erschlagen, und zur Verfolgung seiner überlebenden Anhänger setzte der Senat ein Sondergericht ein. Das Agrargesetz blieb bestehen, aber der Ackerkommission wurde auf Betreiben der Bundesgenossen die Rechtsprechungsbefugnis entzogen. Die Landverteilung kam damit praktisch zum Stillstand. Ihr Ergebnis war ohnehin mager. Der Zensus von 131/30 verzeichnet einen Anstieg der Bürgerzahl um nur rd. 900 Köpfe. Nicht durch die Agrarreform, sondern durch die Herabsetzung des Mindestvermögens wurde dann noch einmal das Potential der Wehrfähigen erheblich gesteigert. Der Zuwachs, der 125/24 festgestellt wurde, betrug rd. 76000 Köpfe.

Die Agrarreform war ·gescheitert, aber die Reformer gaben nicht auf. Wenn das Scheitern nicht zuletzt auch mit dem Sonderstatus der Bundesgenossen zusammenhing, mußte versucht werden, die differenzierte politische Struktur Italiens zu vereinfachen und die Bundesgenossen zu Stimmbürgern zu machen. Und wenn Ti. Gracchus an der Wiederwahl zum Volkstribun gescheitert war, dann mußte die Möglichkeit der Wiederwahl gesetzlich verankert werden. Entsprechende Gesetzesinitiativen, die von Angehörigen der gracchischen Ackerkommission eingebracht wurden, konnten zwar zu Fall gebracht werden. Aber 123 wurde Gaius Gracchus – er war der jüngere Bruder des Tiberius – zum Volkstribun gewählt, und er nahm die Reform auf breiter Front wieder auf. Politische Sachanliegen und das Interesse der Machtsicherung waren dabei in ein wohldurchdachtes Verhältnis gebracht. Zum Teil diente das Gesetzgebungsprogramm der persönlichen Sicherheit der Reformer, dann wurde für die Verbreiterung ihrer Anhängerschaft Sorge getragen, und schließlich wurde unter anderem auch die Agrarreform in modifizierter Form wiederaufgenommen.

C. Gracchus suchte das Bündnis mit der Stadtbevölkerung von Rom, mit der wohlhabenden Schicht, die (zusammen mit den Senatoren) in der Klassenordnung der Heeresversammlung die Hundertschaften der Ritter (*centuriae equitum*) bildete, sowie mit den Bundesgenossen in Italien. Im Interesse des Stadtvolkes lag die Subventionierung der Getreideversorgung, im Interesse der Bundesgenossen der Vorschlag, den Latinern das römische Bürgerrecht, den übrigen das Stimmrecht in der Volksversammlung zu geben. Die Ritter wurden als eigener Stand konstituiert und ihnen die Steuerpacht der Provinz Asia überlassen. Vor allem aber wurden aus ihrem Kreis die Richterlisten ergänzt (bis dahin war die Ausübung richterlicher Funktionen ein Monopol der Senatoren). Der neugeschaffene Strafgerichtshof, bei dem Klagen gegen senatorische Statthalter wegen Erpressung in den Provinzen anhängig gemacht werden konnten, sollte ausschließlich mit Rittern besetzt werden. Was schließlich die Agrarreform anbelangt, so wurde der unergiebige Weg einer Landverteilung, den Ti. Gracchus eingeschlagen hatte, faktisch aufgegeben und an seine Stelle die Gründung von Kolonien in Italien und vor allem in Afrika gesetzt. Dort sollte Karthago als römische Siedlungskolonie neu gegründet werden.

Dem Gesetzgebungsprogramm wohnte eine systemsprengende Kraft inne. Es polarisierte Senat und Ritterstand, es provozierte die Bildung neuer Mehrheiten in der Volksversammlung, und es weitete das Bürgergebiet auf eine überseeische Provinz aus. Vor allem aber: Es war darauf angelegt, den Senat zu schwächen und den Reformern die Kontrolle über den Staat zu sichern. C. Gracchus stellte also die Machtfrage, und er setzte auf Konfrontation, wo allein der Konsens die Durchsetzung fundamentaler Reformen verbürgt hätte. An dieser Konstellation ist er gescheitert.

Die Senatsmehrheit verstand es, C. Gracchus mit den Mitteln der Demagogie zu schlagen. Dem afrikanischen Kolonisationsprogramm stellte sie den Plan einer umfassenden Kolonisation in Italien entgegen. Solide war der Plan nicht, aber er war verständlicherweise populär. In der Frage des Stimmrechts der Bundesgenossen fiel es leicht, an den Egoismus der Bürger zu appellieren. Die Volksversammlung versagte C. Gracchus die Unterstützung. Bei dem Versuch, sein Gesetzgebungswerk zu sichern, kam es zu einer Konfrontation mit dem Senat, bei der er den Tod fand.

Die sog. Optimaten, die an der herkömmlichen Ordnung festhielten, waren mit den Popularen, die mit Hilfe der Volksversammlung diese Ordnung reformieren wollten, fertig geworden, mit den aufgeworfenen Sachproblemen wurden sie es nicht. Die Konfrontation zwischen Senat und Ritterstand, das Bundesgenossenproblem und die Frage einer Wiederaufnahme der Kolonisation blieben auf der Tagesordnung der Politik. Ja, sie gewannen im Zusammenhang mit einer schweren militärischen Herausforderung eine ungeahnte Sprengkraft. Das Versagen der Optimaten in den Kriegen gegen König Jugurtha von Numidien (112–105) und gegen die wandernden germanischen Stammesverbände der Kimbern und Teutonen (113–101) rief große Unzufriedenheit hervor und brachte C. Marius an die Spitze des Staates. Marius beendete beide Kriege siegreich. Aus der Krise des Milizsystems hatte er Konsequenzen gezogen und Besitzlose in großer Zahl zu den Fahnen gerufen. Die aus dem ländlichen Proletariat stammenden Soldaten erwarteten freilich als Lohn die Versorgung mit einer Bauernstelle. Sachwalter ihrer Interessen war ihr Feldherr, und dieser wiederum gewann damit die Anhängerschaft, die auch zur gewaltsamen Durchsetzung seiner und ihrer Interessen fähig und willens war. Auf politischer Ebene zeichnete sich die Möglichkeit eines Bündnisses zwischen Feldherr und Volkstribun ab.

Gestalt nahm dieses Bündnis im ersten und zweiten Volkstribunat des L. Appuleius Saturninus an (103 und 100). Das Siedlungsgesetz von 103 sah vor, daß die Veteranen des Jugurthinischen Krieges je 100 Morgen in der Provinz Africa erhalten sollten. Nach dem Sieg über die Kimbern und Teutonen wurde 100 ein weitergehendes Gesetz eingebracht, das Kolonien in Sizilien, Griechenland, Makedonien und wohl auch in der Provinz Asia vorsah. Es ermächtigte darüber hinaus Marius, in jede Kolonie eine bestimmte Zahl von bundesgenössischen Veteranen aufzunehmen. Das Problem der Veteranenversorgung und die Bundesgenossenfrage sollten also sozusagen von außen her durch Kolonisation in den überseeischen Provinzen gelöst werden. Die alten Fronten der Gracchenzeit stellten sich wieder ein. Marius bekam angesichts der eskalierenden Gewalt Angst vor seinem eigenen Mut und gab seine Verbündeten preis. Saturninus wurde mit zahlreichen Anhängern erschlagen.

Einsichtige Optimaten kamen schließlich zu der Einsicht, daß die bloße Verweigerung von Reformen keine angemessene Antwort auf die Herausforderungen der Zeit war. Ihr führender Kopf war M. Livius Drusus. Als Volkstribun plante er, allen etwas zu nehmen und dafür allen etwas zu geben. Das von Bundesgenossen okkupierte Staatsland sollte an arme Bürger verteilt werden, während die Bundesgenossen das römische Bürgerrecht erhalten sollten. Den Senatoren wurde die Wiederherstellung des senatorischen Richtermonopols versprochen, den Rittern als Kompensation 300 Senatorensitze in Aussicht gestellt. Aber der Plan scheiterte. Selbst aus den eigenen Reihen erwuchs Livius Drusus erbitterter

Widerstand. Bevor eine Entscheidung in der Volksversammlung fiel, wurde er ermordet.

Die innenpolitische Abrechnung mit den Anhängern der Reform wurde überlagert von der Erhebung der Bundesgenossen gegen Rom (91–89). Mit militärischen Mitteln allein konnte sie nicht niedergeworfen werden. Erst das Angebot des Bürgerrechts nahm dem Widerstandswillen die Kraft. Aber die Lösung der Bundesgenossenfrage wurde politisch wieder in Frage gestellt, als die Neubürger auf nur 8 der 35 Stimmkörper verteilt werden sollten. Dagegen opponierte der Volkstribun C. Sulpicius Rufus. 88 brachte er einen Gesetzesantrag ein, der die Verteilung der Neubürger auf alle 35 Stimmkörper vorsah. Um sich dafür eine Mehrheit zu sichern, verbündete er sich mit C. Marius, und als Gegenleistung für dessen Unterstützung versprach er, ihm den Oberbefehl in dem bevorstehenden Krieg gegen Mithridates VI. zu verschaffen. Dem amtierenden Konsul L. Cornelius Sulla, der bereits ein Expeditionsheer in Kampanien zusammengezogen hatte, wurde das Kommando wieder entzogen. Daraufhin marschierte Sulla an der Spitze seines Heeres nach Rom, ließ seine Gegner ächten und ihre Maßnahmen aufheben.

Mit dieser Zuspitzung des Konflikts erreichte die innere Auseinandersetzung eine neue Dimension. Ein Feldherr mobilisierte seine Armee zur Durchsetzung gemeinsamer Interessen gegen den Staat. Weder Sulla noch seine Soldaten waren bereit, sich die Aussicht auf Ruhm und Beute bzw. auf eine Versorgung mit Bauernstellen nehmen zu lassen. Rom trat in das Zeitalter der Bürgerkriege ein.

Während Sulla im Osten Krieg führte, bemächtigte sich Marius mit seinen Anhängern der Regierungsgewalt. Das neue Regime ächtete Sulla, verteilte die Neubürger des Sulpicius auf die 35 Stimmkörper und ging daran, den Senat mit Angehörigen der ritterlichen Munizipalaristokratie Italiens zu durchsetzen. Damit schufen sich die Marianer eine breite Basis in Italien, und zugleich riskierten sie Spannungen mit der alten Senatsaristokratie. Diese Spannungen entluden sich in einem verheerenden Bürgerkrieg, als Sulla mit seinem Heer 83 nach

Italien zurückkehrte. Sulla blieb siegreich, und er ließ sich zum Diktator ernennen. Prominente und reiche Bürger, die nach einem Stichtag des Jahres 83 im Lager seiner Feinde geblieben waren, wurden liquidiert, ihr Vermögen wurde eingezogen. Die Städte Italiens, die Sulla Widerstand geleistet hatten, verloren ihr Territorium. Auf diese Weise wurden die Mittel für eine Ansiedlung der Veteranen in Kolonien und für eine Umverteilung der Vermögen zugunsten der Anhänger und Günstlinge Sullas gewonnen. Nicht auf Kosten des äußeren Feindes, sondern zu Lasten des innenpolitischen Gegners erfolgten die Wiederaufnahme der italischen Kolonisation und die Bildung großer Vermögen. Sullas Ziel war, die ins Wanken geratene Herrschaft des Senats neu zu befestigen. Dazu genügte es nicht, Gegner zu beseitigen, Anhänger zu belohnen und durch die Anlage von Veteranenkolonien ein Netz von Festungen über Italien zu legen. Das Senatsregiment mußte auf dem Weg der Gesetzgebung gegen die Gefährdungen geschützt werden, die es seit den Gracchen erschüttert hatten. Indem Sulla den Senat durch einen Pairsschub aus dem Ritterstand auf 600 Mitglieder brachte und dafür den Rittern die Gerichte entzog, verwirklichte er einen wichtigen Programmpunkt des Livius Drusus. Ohne Vorbild war indessen die Entmachtung des Volkstribunats, von dem die Gefährdung der Senatsherrschaft ausgegangen war. Tribunizische Gesetzesinitiativen wurden an die Zustimmung des Senats gebunden, und die Bekleidung des Volkstribunats schloß den Amtsinhaber von der Bewerbung um die höheren Ämter automatisch aus. Hinzu kam eine Neuordnung der Strafgerichtsbarkeit. Sullas besondere Aufmerksamkeit galt dabei der politisch motivierten Gewalttätigkeit in Rom.

Der Senat erhielt somit die Kontrolle über das Gesetzgebungsverfahren, und auf dem Weg über das senatorische Richtermonopol gewann er auch die Aufsicht über die Wahrung des inneren Friedens und über die Amtsführung der Statthalter in den Provinzen. Im übrigen war Sulla klug genug, die Verteilung der Neubürger auf alle Stimmkörper nicht wieder in Frage zu stellen. Das politische Strukturproblem Italiens war end-

gültig gelöst. Ganz Italien war bis zum Po römisches Bürgergebiet.

Niemals war die Stellung des Senats formell so stark wie in
der von Sulla fixierten Ordnung, und doch brach sie innerhalb
von 10 Jahren zusammen. Drei Hauptgründe sind dafür ver-
antwortlich. Die nachsullanische Senatsaristokratie war weder
willens noch fähig, die Position zu verteidigen, in die Sulla sie
eingesetzt hatte. Sullas Proskriptionen, d. h. die Liquidierung
und Enteignung tatsächlicher und vermeintlicher Gegner, hatten ein großes Potential an Opposition geschaffen, und selbst
Nutznießer der sullanischen Umwälzung trugen keine Bedenken, sich der verbreiteten Gegnerschaft gegen das sullanische
System zu persönlichen Zwecken zu bedienen. Hinzu kam ein
dritter Gesichtspunkt: Die Entmachtung des Volkstribunats
war nicht populär; sie galt als Bruch mit der traditionellen Verfassung: Auf die Wiederherstellung der Rechte des Volkstribunats konzentrierte sich dementsprechend die Hauptstoß-
richtung der popularen Oppositon. In ihrem gemeinsamen
Konsulat (70) beseitigten Cn. Pompeius und M. Crassus die
institutionellen Stützen des sullanischen Systems. Die Rechte
der Volkstribunen wurden wiederhergestellt, und auch die Ritter gewannen wieder Anteil an den Richterstellen.

Crassus war als Nutznießer der sullanischen Proskriptionen
zu fürstlichem Reichtum aufgestiegen. Pompeius hatte Sulla
ohne Amt als Feldherr gedient. Nach Sullas Rücktritt und Tod
hatte er den zähen Widerstand der Marianer in Spanien gebrochen und zusammen mit Crassus den Sklavenaufstand des
Spartacus in Italien niedergeworfen. Beide verfolgten mit dem
Programm der Wiederherstellung des Volkstribunats persönliche Machtansprüche. Die Rechnung ging nur für Pompeius
auf. Als bedeutender Organisator und Feldherr ging er das
Bündnis mit dem wiederhergestellten Volkstribunat ein, um
sich die militärischen Kommandos zur Beseitigung der Seeräuberplage und zur Beendigung des bereits 74 ausgebrochenen
erneuten Krieges mit Mithridates von Pontus zu verschaffen.
Beide Unternehmungen hatten durchschlagenden Erfolg. Bis
63 war der gesamte Osten neu geordnet. Aber in Rom erwar-

tete den siegreichen Feldherrn eine schwierige politische Aufgabe: Er mußte die Versorgung seiner Veteranen mit Land und die Ratifikation der von ihm im Osten getroffenen Maßnahmen durchsetzen. Landbeschaffung in Italien bedrohte bestehende Besitzverhältnisse. Die Bestätigung der Neuordnung im Osten hätte Pompeius die Loyalität der vielen Nutznießer gesichert, und er wäre so zum mächtigsten Mann des Römischen Reiches geworden. Allgemein wurde befürchtet, daß er, um den voraussehbaren Widerstand des Senats zu brechen, nach dem Vorbild Sullas Landzuweisung und Ratifikation seiner Neuordnung an der Spitze seiner Armee stehend erzwingen würde. Aber er entließ seine Soldaten, und der Obstruktionspolitik des Senats war er nicht gewachsen.

In seiner Verlegenheit ging Pompeius ein Bündnis mit M. Crassus und C. Iulius Caesar ein. Dieser stammte aus einer alten patrizischen Familie, die sich mit Marius verschwägert hatte. In der Opposition gegen das sullanische System hatte Caesar Popularität gewonnen und seine Karriere gefördert. Für 59 bewarb er sich um das höchste Amt, das Konsulat, und er suchte Verbündete gegen seine optimatischen Feinde im Senat. Er war es, der die Verständigung zwischen Pompeius und Crassus vermittelte. Die privaten Abreden der drei Verbündeten betrafen die Versorgung der Veteranen des Pompeius sowie die Ratifikation seiner Maßnahmen im Osten. In einer Generalklausel einigten sie sich darüber hinaus auf den Grundsatz, daß keiner von ihnen gegen die Interessen der Partner verstoßen dürfe. Dieses Bündnis zwischen dem Mächtigsten, dem Reichsten und dem politisch Genialsten wurde zu einem Schlüsselereignis der römischen Geschichte. Es war der Anfang vom Ende der Republik.

Der Konsul Caesar brach den Widerstand des Senats gegen das Gesetzgebungsprogramm durch massive Gewaltanwendung. Zwei Agrargesetze wurden angenommen, die die Verteilung des Staatslandes in Kampanien und den Ankauf weiteren Landes in Italien vorsahen. Neben den Veteranen sollten mittellose Bürger berücksichtigt werden. Ebenso wurden alle Verfügungen, die Pompeius im Osten getroffen hatte, von der

Volksversammlung ratifiziert. Schließlich wurde Caesar durch ein tribunizisches Gesetz ein fünfjähriges Sonderkommando übertragen. Es erstreckte sich auf Norditalien und das Illyricum, d. h. die dalmatinische Küste. Hinzugefügt wurde noch das Jenseitige Gallien, das sich von der Mittelmeerküste bis zum Genfer See erstreckte. Sowohl auf dem Balkan als auch in Gallien konnte mit militärischen Verwicklungen gerechnet werden. Im Karpatengebiet war es zu einer expansiven dakischen Reichsbildung gekommen, und in Gallien hatten Wanderbewegungen das Vorfeld der römischen Provinz in Unruhe versetzt. Der mit den Römern verbündete Stamm der Häduer (ihr Hauptort lag in der Nähe des heutigen Autun) war in Bedrängnis geraten und hatte einen Senatsbeschluß erwirkt, der den jeweiligen Statthalter ermächtigte, zum Schutz der Verbündeten die notwendigen Maßnahmen zu treffen.

Diese noch völlig offene Situation war Vorwand für die Übertragung eines umfassenden außerordentlichen Kommandos. Tatsächlich diente sie dazu, den Verbündeten den Rückhalt einer großen Armee in unmittelbarer Nähe Italiens zu verschaffen. Zugleich erhielt Caesar damit die Möglichkeit, mit den Mitteln des Krieges Macht, Einfluß und Geld zu gewinnen. Daß er dessen bedurfte, unterliegt keinem Zweifel. Er war infolge der üblichen Aufwendungen zur Bestechung der Wähler enorm verschuldet, und er hatte sich im Senat durch seine Amtsführung viele Todfeinde geschaffen. Das außerordentliche Kommando war also auch als Entschädigung für seinen hohen Einsatz gedacht. Aber Caesar machte mehr daraus, als Feinde und Verbündete ahnen konnten. Innerhalb von 8 Jahren unterwarf er Gallien und schob damit die römische Herrschaft bis zum Rhein vor. Seine Feldzüge waren darüber hinaus ein großer Beutezug. Große Mengen von Sklaven wurden verkauft, und das Gold der Heiligtümer wurde geplündert, so daß der Goldpreis in Rom aufgrund des Überangebots fiel. Gegen Caesars Methoden der Kriegführung gab es Einwände, und im Senat wurde sogar gefordert, ihn zur Strafe den Germanenstämmen auszuliefern, die er völkerrechtswidrig überfallen hatte. Dazu kam es nicht, aber seine Feinde im Senat blieben entschlossen, ihn bei der ersten sich bietenden Gelegenheit zu Fall zu bringen.

Im Frühjahr 56 waren die Bemühungen, Caesar zur Verantwortung zu ziehen, so weit gediehen, daß er die Auflösung des Dreibundes befürchten mußte. Er ergriff die Gegeninitiative. In Luca wurde der Dreibund erneuert: Crassus und Pompeius erhielten das Konsulat, und tribunizische Gesetze sicherten den drei Verbündeten die wichtigsten Provinzen des römischen Reiches: Caesar behielt die beiden Gallien und Illyrien, Crassus erhielt Syrien und Pompeius Spanien. Schon seit 57 besaß Pompeius die Vollmacht, die Getreideversorgung Roms zu sichern. Der Volkstribun P. Clodius, der gestützt auf das Stadtvolk die Politik in Atem hielt, hatte die kostenlose Getreideversorgung der Plebs eingeführt. Doch sehr gegen den Willen des Urhebers dieser Wohltat hatte Pompeius die Schlüsselpositionen zur Versorgung der Großstadt in die Hand bekommen. Alles in allem besaßen die drei Verbündeten die Kontrolle über die bedeutendsten Kraftquellen des Römischen Reiches, und sie verfügten damit über das Potential, auch in der stadtrömischen Politik das letzte Wort zu sprechen.

Der Senat beauftragte 52 Pompeius, als Konsul ohne Kollegen die anarchischen Zustände zu beseitigen, die in dem scheinbaren politischen Vakuum seit 54 entstanden waren. Pompeius gewann damit von seiten der Optimaten die Anerkennung, die er immer gewünscht hatte, und umgekehrt fanden diese Gelegenheit, einen Keil zwischen die alten Verbündeten zu treiben. Caesars militärische Erfolge und der Einfluß, den er in Rom durch Patronage und Bestechung gewann, ließen Pompeius um seinen Vorrang fürchten. Crassus, der Dritte im Bunde, war 53 in dem von ihm begonnenen Krieg gegen die Parther gefallen. Es gab niemanden mehr, der zwischen den beiden Rivalen hätte vermitteln können. Für 48 beabsichtigte Caesar, sich zum Konsul wählen zu lassen. Aber er mußte vermeiden, sich persönlich in Rom, wie es vorgeschrieben war, zu bewerben. Seine Feinde hatten keinen Zweifel daran gelassen, daß sie ihn wegen seiner Rechtsverstöße anklagen würden, sobald er als Privatmann gerichtlich verfolgt werden konnte. Er hatte sich deshalb durch tribunizisches Gesetz das Privileg der Bewerbung in Abwesenheit gesichert. Seine Berechnungen gingen dahin, daß er bis zum Beginn seines 2. Konsulats sein Kommando in Gallien behalten könne. Aber gestützt auf Pompeius durchkreuzten seine Feinde diesen Plan. Anfang 49 wurde er abberufen. Caesar antwortete mit dem Einmarsch in Italien. Der Bürgerkrieg hatte begonnen.

Caesar war gerüstet, die Gegenseite war es nicht. Aber sie verfügte über das größere Potential. Caesar durfte Pompeius keine Zeit lassen, seine überlegenen Kräfte zu mobilisieren, und so setzte er auf die Strategie des Blitzkrieges. Er zwang Pompeius, Italien zu räumen und über die Adria nach Osten zu fliehen. Caesar eroberte zunächst Spanien, dann suchte er die Entscheidung im Osten. Er geriet an den Rand einer Niederlage und gewann doch 48 in Thessalien die Entscheidungsschlacht bei Pharsalos. Nach längerem Aufenthalt im Osten kehrte der Sieger im Herbst 47 nach Italien zurück.

Caesar hatte Pompeius geschlagen, aber der Widerstand der Republikaner war nicht gebrochen. In Nordafrika stellten sie eine neue Armee auf. Im Frühjahr 46 errang Caesar dort den Sieg bei Thapsus. Danach verlagerte sich der republikanische Widerstand nach Spanien. Ihn niederzuwerfen war nicht leicht. Der schließlich bei Munda errungene Sieg (Frühjahr 45) war äußerst verlustreich. Aber auch nach diesem Erfolg war der Bürgerkrieg noch nicht beendet. In Syrien entstand ein neues Widerstandszentrum. Caesar plante, selbst an der Spitze einer großen Armee nach Osten zu gehen. Der Bürgerkrieg sollte endgültig ausgelöscht und vom Glanz neuer, gegen äußere Feinde errungener Siege überstrahlt werden. Aber die Opposition gegen Caesar äußerte sich nicht nur in der Form des bewaffneten Widerstandes. Bevor er nach Osten aufbrechen konnte, fiel er am 15. März 44 in Rom einem Attentat zum Opfer.

Von Caesars Diktatur zum Prinzipat des Augustus

Caesar hatte zu den Waffen gegriffen, um, wie er sich ausdrückte, seinen Rang und seine öffentliche Geltung zu verteidigen. Ein Programm zur Neugestaltung des Staates, das über den vertrauten Rahmen sachlicher Einzelreformen und über Maßnahmen zur Machtsicherung hinausgegangen wäre, besaß er vermutlich nicht. Er versorgte seine Klientel: Die Transpadaner, d.h. die zwischen Po und Alpenrand lebenden Bewohner des Diesseitigen Gallien, erhielten das römische Bürgerrecht, die Veteranen sollten mit Bauernstellen versorgt und prominente Anhänger mit Ämtern und Senatorenstellen belohnt werden. Caesar vermied die Fehler Sullas. Ächtungen und Enteignungen wurden fast ganz vermieden, und Caesar war bereit, im Interesse einer Versöhnung seine Gegner zu begnadigen. Aber andererseits weigerte er sich, die ihm zugefallene Macht für eine Wiederherstellung der traditionellen Ordnung zu verwenden. Im Gegenteil: Nach dem Sieg über die Republikaner in Afrika empfing er neben anderen Ehrungen die Diktatur auf 10 Jahre, nach der Rückkehr aus Spanien sogar auf Lebenszeit. Obwohl er demonstrativ den Königstitel ablehnte, knüpfte er doch in der Öffentlichkeit an Tracht und Erscheinungsbild der altrömischen Könige an. Unübersehbar wurde auch die religiöse Überhöhung seiner Person. Caesar war offenbar entschlossen, an der Macht festzuhalten, und er suchte nach Formen ihrer Legitimierung.

Die integrale Diktatur, die Caesar ausübte, verhinderte Wahlkämpfe, außerordentliche Kommandos und damit die Gefahr, daß römische Feldherren mit den Heeren und den Ressourcen des Reiches die Welt mit Bürgerkrieg überzogen. Die Alleinherrschaft, aus der Not geboren, erwies sich als effizientes Mittel zur Vermeidung offener Machtkämpfe und Bürgerkriege. An der überseeischen Kolonisation, die Caesar im großen Stil in die Wege leitete, zeigte sich auch, daß die Realisierung sozialer Aufgaben von der Überwindung der inneren Machtrivalität abhing. Caesar wußte auch, daß mit seiner Herrschaft die Interessen und die Loyalität einer großen Anhängerschaft verbunden waren und daß ein Attentat auf ihn ebendeshalb Rom und Italien in einen neuen, noch verheerenderen Bürgerkrieg stürzen würde. Es mag sein, daß er aus dieser Gewißheit das Gefühl persönlicher Sicherheit zog. Andererseits war ihm klar, daß er sich Todfeinde schuf. Er enttäuschte alle Hoffnungen auf eine Wiederherstellung der Senatsherrschaft. Die Opposition ging in den Untergrund. Eine gegen ihn gerichtete Verschwörung reichte bis in die Reihen seiner alten Gefolgsleute.

Der führende Kopf der Verschwörung, M. Brutus, glaubte, daß mit der Beseitigung des Alleinherrschers die Freiheit gewonnen und mit der Anerkennung der von Caesar geschaffenen Rechte und Ansprüche ein Bürgerkrieg vermieden werden könnte. Diese Rechnung ging letztlich nicht auf. Dem Konsul Marc Anton, einem prominenten Gefolgsmann Caesars, gelang es schnell, die Caesarmörder von der Gestaltung der Politik fernzuhalten. Aber in Octavian, dem Großneffen Caesars, erwuchs ihm schnell ein gefährlicher Rivale. Caesar hatte den jungen Mann – er war 19 Jahre – testamentarisch mit der Auflage, seinen Namen zu tragen, zum Haupterben bestimmt. Octavian nahm das Erbe an und geriet in Konflikt mit dem Konsul, der sich in den Besitz von Caesars Nachlaß gesetzt hatte. Der Konflikt eskalierte. Der Erbe Caesars vereinte die Loyalität und die Interessen vieler Caesarianer auf seine Person. Seine Stunde kam, als Marc Anton daranging, das Diesseitige Gallien, das er sich durch Volksgesetz für 5 Jahre hatte zusprechen lassen, gegen den Willen der Senatsmehrheit in Besitz zu nehmen. Er warb unter den Veteranen seines Großonkels eine Privatarmee und brachte durch seine Versprechungen zwei reguläre Legionen auf seine Seite. Das war Hochverrat. Was Octavian brauchte, war die Legalisierung seines angemaßten Kommandos, und so suchte er das Bündnis mit dem Senat. Die Vermittlerrolle fiel M. Cicero zu.

Cicero hatte 63 das Konsulat bekleidet und eine hochverräterische, von Catilina angeführte Verschwörung unterdrückt. Er war einer der größten Redner der Antike und ein bedeutender philosophischer Schriftsteller, aber er gewann in der großen Politik nicht das Gewicht, das seinen überragenden Talenten entsprochen hätte. Nach Caesars Ermordung wurde er, ein Verehrer der traditionellen Ordnung, zum Vorkämpfer ihrer Wiederherstellung. Er setzte im Senat die außerordentlichen

Kommandos für den jungen Erben Caesars und für die Caesarmörder durch – M. Brutus und C. Cassius hatten 43 aus eigener Kraft den gesamten Osten des Reiches für die Republik gewonnen –, und er organisierte von Rom aus den Kampf gegen
Antonius. Im Frühjahr schien Cicero dem Sieg nahe zu sein.
Antonius wurde in Norditalien besiegt und zog sich in das Jenseitige Gallien zurück. Der Umschwung kam schnell, und auch
dabei fiel Octavian eine entscheidende Rolle zu. Er wußte, daß
er eine Niederlage der Caesarianer nicht überleben würde. An
der Spitze seiner Soldaten forderte und erhielt er das Konsulat.
Den Caesarmördern machte er den Prozeß, und mit Marc Anton und den übrigen Caesarianern ging er ein Bündnis ein. Für
den bevorstehenden Krieg mit den Caesarmördern im Osten
wurde die Schaffung eines kollegialen Amtes vereinbart: Marc
Anton, Octavian und M. Lepidus sollten gemeinsam eine Gewalt ausüben, die der des Diktators Caesar entsprach, und sie
erhielten das Recht, alle gemeinsamen Gegner zu ächten und
ihr Vermögen einzuziehen.

42 vernichteten die Verbündeten die Heere der Caesarmörder in der Doppelschlacht bei Philippi. Noch auf dem Schlacht-
feld teilten die beiden Sieger, Marc Anton und Octavian, das
Römische Reich. Lepidus wurde mit Africa und den Italien vorgelagerten Inseln abgefunden, Marc Anton erhielt den Osten
(und anfangs auch Gallien), Octavian Italien und die übrigen
Provinzen im Westen. Er hatte die undankbare Aufgabe, den
demobilisierten Soldaten in Italien Land anzuweisen. Ohne
Enteignungen ging dies nicht ab, und Rom mit Getreide zu ver-
sorgen erwies sich angesichts der Seeherrschaft des Sex. Pompeius als eine kaum lösbare Aufgabe. Hinzu kamen Machtkämpfe mit den Anhängern des Marc Anton. Aber allmählich
verschob sich das Kräfteverhältnis zugunsten Octavians. Marc
Anton widmete sich der Stabilisierung der römischen Herrschaft im Osten, die durch einen Einfall der Parther ins Wanken gekommen war, und er war dementsprechend nicht in der
Lage, seinen Einfluß im Westen aufrechtzuerhalten. Allmählich
zahlte es sich für Octavian aus, daß er Italien, das Zentrum des
Reiches, kontrollierte. Als 33 das kollektive Ausnahmeamt,

das sog. Zweite Triumvirat, zu Ende ging, okkupierte er die Macht im Staat und zwang die Konsuln des Jahres 32, Anhänger des Antonius, aus Rom zu fliehen.

Das Band zwischen den Verbündeten war zerschnitten, und die Liaison, die Antonius mit der ägyptischen Königin Kleopatra eingegangen war, gab einen ebenso bequemen wie wirkungsvollen Vorwand, den Bürgerkrieg zum auswärtigen zu deklarieren und Marc Anton das Odium eines entarteten Römers anzuhängen, der einer orientalischen Königin Waffenhilfe gegen sein Vaterland leistete. Die Entscheidung des Krieges fiel 31 in der Seeschlacht bei Aktium, ein Jahr später annektierte der Sieger Ägypten. Marc Anton und Kleopatra nahmen sich vor der Einnahme Alexandriens das Leben.

Octavian hatte alle Rivalen überwunden. Niemand konnte ihm noch die Alleinherrschaft streitig machen. Er verfügte über die Loyalität einer siegreichen Armee, und er hatte es verstanden, seine Sache zu der ganz Italiens zu machen. Als Führer Italiens (*dux Italiae*) war er zum Herrn des römischen Weltreiches geworden. Aber er mußte für seine Macht eine Form finden, die den alten Eliten annehmbar erschien. Die Spuren Caesars schreckten.

Am 13. Januar 27 legte Octavian die ihm übertragene Ausnahmegewalt wieder in die Hände von Senat und Volk. Er verzichtete auf eine umfassende, integrale Regierungsgewalt nach dem Vorbild der Diktatur Caesars oder der triumviralen Gewalt. In Rom bekleidete er bis 23 Jahr für Jahr das alte republikanische Oberamt, das Konsulat, und für die noch nicht befriedeten Provinzen (z. B. Gallien, die beiden Spanien, Syrien) erhielt er, zunächst für 10 Jahre, ein außerordentliches Kommando. Die übrigen Provinzen wurden wieder in die Verfügungsgewalt des Senats gegeben. Diese Regelung, für die er vom Senat den Ehrennamen *Augustus* (der Erhabene) erhielt, setzte Octavian an die Spitze der Regierung in Rom und beließ ihm die Verfügung über den größten Teil der Armee, aber sie lehnte sich stärker als Diktatur und triumvirale Gewalt an das spätrepublikanische Amtsrecht an. Schon Pompeius hatte 52 das Konsulat mit außerordentlichen Kommandos im Herrschaftsgebiet verbunden. Freilich warf die jährliche Bekleidung des Konsulats Probleme auf. Sie erschwerte der Nobiliät den Zugang zum höchsten Amt. Die daraus entstehende Unzufriedenheit kulminierte in einer Verschwörung. Augustus reagierte 23, indem er das Konsulat aufgab, und er empfing dafür, zunächst für eine Fünfjahresfrist, die vom Amt gelöste tribunizische Gewalt. Wenige Jahre später wurde diese Kumulierung von Amtsgewalten noch durch die Befugnisse des Konsulats ergänzt. Damit war der kaiserlichen Gewalt durch eine Addition republikanischer Amtsrechte eine institutionelle Grundlage gegeben. Die usurpierte Macht hatte ihre rechtliche Form gefunden.

Nachdem die Machtfrage gelöst war, erschien das republikanische Regierungssystem formell wieder funktionsfähig. Die Magistrate nahmen ihre traditionellen Aufgaben wieder wahr, der Senat faßte Beschlüsse, die Volksversammlung wählte und verabschiedete Gesetze. Aber der traditionellen Ordnung unterlag ein anderer Sinn als in republikanischer Zeit. Sie war nicht mehr der Rahmen, in dem die Auseinandersetzung um die politische Führung stattfand, sondern die Bühne, auf der Eintracht demonstriert wurde. Dieser Zustand entsprach dem idealisierten Bild des Staates der Vorfahren. Das Neue erschien insofern als die Wiederherstellung des Alten. In diesem Sinne hat Augustus die von ihm begründete Ordnung als den glücklichsten Zustand des Gemeinwesens bezeichnet. Die Zustimmung, die dieser Zustand fand, bezog ihre Kraft nicht zuletzt daraus, daß das Neue am Alten gemessen wurde und die neue Ordnung den Vergleich mit der alten bestand.

In der Bürgerkriegszeit war die Vorstellung, daß der Verlust der inneren Eintracht die Folge einer Abkehr von der Lebensform der Vorfahren gewesen sei, zur herrschenden Geschichtsauffassung geworden. Der Verfall von Moralität und Religiosität war in dieser Sehweise die letzte Ursache von Zwietracht und Bürgerkrieg. Augustus fand sich in Übereinstimmung mit der öffentlichen Meinung, als er an die Tradition der Sittengesetzgebung anknüpfte, die Tempel wiederherstellte und alte, in Vergessenheit geratene Kulte erneuerte. Die Gunst der Götter, so lautete der fundamentale Glaubenssatz der römischen Religion, hatte Rom großgemacht, und diese Gunst hing von der peinlichen Erfüllung aller religiösen Pflichten ab. Eines kam zum anderen. Die Überwindung des Bürgerkrieges, die Wiederherstellung der inneren Eintracht, Friede, Wohlstand und äußere Machtentfaltung auf der einen Seite, die Wiederbelebung der alten Kulte und der altrömischen Moralität (oder was dafür gehalten wurde) wurden als zusammengehörende Aspekte des Augustus verdankten „glücklichsten Zustands" betrachtet: Erst im Werk des Augustus realisierte sich die friedensstiftende Macht, die der römischen Weltherrschaft potentiell innewohnte. Der römische Friede (*pax Romana*) war der von Augustus geschaffene Friede (*pax Augusta*).

Prägnanten Ausdruck fand die Überhöhung der Person des Augustus in seiner religiösen Verehrung. Einem Menschen Tempel zu weihen und einen Kult zu widmen war nichts Neues. Antiker Religiosität galt jede segenstiftende Macht, die über das normale Menschenmaß hinausging, als göttlich. Im Osten wurde nach dem Vorbild der Statthalterkulte den Provinziallandtagen gestattet, die Person des Augustus zusammen mit der Göttin Roma zu verehren (für die römischen Bürger war ein anderer politischer Loyalitätskult bestimmt: der Kult der Roma und des Gottes Caesar). Im Westen wurde der Kult des Augustus und der Roma nur in den unruhigen, noch nicht völlig befriedeten Provinzen eingeführt. Das wegen der systematischen Besteuerung unruhige Gallien erhielt 12 einen zentralen Altar in Lugdunum (Lyon), und in Germanien wurden am Rhein und an der Elbe zentrale Altäre errichtet. Wo es im Westen keine Loyalitätsprobleme gab, hat die Regierung von sich aus keine Provinzialkulte gestiftet. In Rom selbst wurde Augustus der göttlichen Sphäre angenähert, sein *Genius* oder sein *Numen*, d. h. die in ihm wirkende übermenschliche Kraft, empfing göttliche Verehrung, nicht jedoch seine sterbliche Person. Es gehörte zur Mäßigung des Kaisers (*moderatio*), daß er auf der offiziellen Ebene von Staat und Reich keinen Kult zuließ, der ausschließlich seiner Person galt, und er betonte, daß er Mensch sei und nicht Gott. Aber als Exponent einer auf Dauer angelegten Ordnung, des sog. Prinzipats, und aufgrund seiner überragenden Leistungen war er, obschon sterblich wie alle Menschen, zum Empfang kultischer Ehren legitimiert. Nicht kultische Verehrung zu gewinnen, sondern ihr Grenzen zu setzen war das Problem. Augustus hatte auch hier zu bedenken, daß er eine monarchische Stellung in einer von republikanischen Traditionen geprägten aristokratischen Gesellschaft verankern mußte. Das aber hieß: Andere durften ihn Gott nennen, er selbst durfte es nicht.

Autorität und kultische Verehrung wuchsen Augustus aus der Befriedung einer aus den Fugen geratenen Welt zu. Sie waren das Ergebnis der ihm verdankten Rettung aus dem Chaos der Bürgerkriege und der Wiederherstellung der Ordnung des römischen Staates. Aber sie erleichterten ihm auch das Werk einer tiefgreifenden Umgestaltung, die darauf hinauslief, Staat und Gesellschaft Roms mit den Bedürfnissen eines Weltreiches in Einklang zu bringen.

Augustus zog die Konsequenz aus der Professionalisierung des Kriegsdienstes und schuf das stehende Heer. Nicht nur, daß die alte Heeresverfassung, das Milizsystem, mit der Notwendigkeit, große Heere in Übersee zu unterhalten, nicht vereinbar war: Die nach Bedarf aufgestellten und dann wieder entlassenen Heere, die sich aus dem ländlichen Proletariat rekrutierten, waren eine Bedrohung für die gesellschaftliche Ordnung und für die politische Stabilität. Landverteilungen in Italien stürzten gewachsene Besitzverhältnisse um und institutionalisierten den sozialen und politischen Konflikt. In der Triumviratszeit hatte Octavian, der spätere Kaiser Augustus, sich notgedrungen der Methode der Enteignungen bedient, aber nach dem Sieg über Marc Anton hatte er Land in Italien ankaufen lassen und die außeritalische Kolonisation nach dem Vorbild Caesars wiederaufgenommen. Dann ermöglichte die Schaffung einer Berufsarmee von 28 Legionen (ca. 150000–160000 Mann) mit langjähriger Dienstzeit (20 Jahre und mehr) die Begrenzung der Zahl jährlicher Zugänge und Abgänge, und schließlich wurde eine auf Zuschüssen aus dem kaiserlichen Privatvermögen und auf Steuern römischer Bürger fundierte

Militärkasse geschaffen, aus der Geldabfindungen für die Entlassenen finanziert werden konnten. Ergänzt wurde die Armee römischer Bürger durch sog. Hilfstruppen, die aus reichsangehörigen Völkerschaften ausgehoben wurden. Deren Soldaten erhielten bei der Entlassung keine finanziellen Abfindungen, sondern das Privileg des römischen Bürgerrechts. Damit war der Krater der sozialen Revolution geschlossen, die Heeresverfassung entsprach den Notwendigkeiten eines Weltreichs, und zugleich erschien die Innenpolitik vom Druck drohender militärischer Interventionen befreit.

Es erleichterte den Übergang zu den neuen Verhältnissen, daß der Zustand des Römischen Reiches der Arrondierung bedurfte und die Armee bei dieser Aufgabe in ihre neue Rolle hineinwuchs. Der territoriale Bestand des Reiches war das Ergebnis der Bewältigung einzelner Herausforderungen, und es macht in dieser Hinsicht keinen Unterschied, ob die Herausforderung wie im Falle Karthagos oder Makedoniens von außen kam oder wie z. B. im Falle der Eroberung Galliens der persönliche Geltungsanspruch eines römischen Aristokraten das ausschlaggebende Motiv der Expansion war. Jedenfalls unterlag der Entstehung des Römischen Reiches kein einheitlicher Plan, und die Folge dieser Entstehungsbedingungen war ein unzusammenhängendes Territorium, das weder Italien vor Einfällen aus dem Alpenraum schützte noch verteidigungsfähige Grenzen im ganzen besaß. Befreit vom Machtkampf im Inneren und im Besitz eines professionalisierten stehenden Heeres ging Augustus daran, die Aufgaben der Arrondierung und Stabilisierung zu lösen. Er ist dadurch zum Begründer des Römischen Reiches der Kaiserzeit geworden.

Augustus begann mit der Unterwerfung des nordwestlichen Spaniens, das sich bis dahin der römischen Herrschaft hatte entziehen können. Dann folgten die Unterwerfung der Alpen und die Einbeziehung des Voralpenraumes unter römische Kontrolle sowie die mühsame, von Rückschlägen unterbrochene Unterwerfung des Balkans bis zur Donaugrenze. Damit waren die Grenzen Italiens endlich gegen Einfälle gesichert, und die Lücke zwischen dem Osten und dem Westen des Reiches war geschlossen. Zur selben Zeit, in der Tiberius, der Stiefsohn des Augustus, mit der Unterwerfung Illyriens begann (12–9), führte sein Bruder Drusus Krieg in Germanien. Auch am Rhein erwies sich die – von Caesar geschaffene – Grenze als ungesichert. Germanische Einfälle und eine spektakuläre römische Niederlage in Gallien führten zu dem Plan, das Vorfeld zu besetzen und die Einfallstraßen entlang der Lippe und dem unteren Main der römischen Kontrolle zu unterwerfen. Aber im Unterschied zum Donauraum kam Germanien nicht über den Status eines militärischen Operationsbezirks hinaus. Eine Provinz mit zivilen Verwaltungsstrukturen entstand hier nicht. Die Niederlage, die Quinctilius Varus 9 n. Chr. gegen aufständische Germanen unter Arminius im Teutoburger Wald erlitt, führte letztlich zum Verzicht auf die direkte Beherrschung Germaniens.

Im Osten gelang eine Stabilisierung der Grenzen zum Partherreich mit diplomatisch-politischen Mitteln. Vom Schwarzen Meer bis zu den Grenzen Ägyptens waren dem in Provinzen organisierten direkten Herrschaftsgebiet Königreiche vorgelagert, die für den Grenzschutz sorgten und Rom von der Notwendigkeit entlasteten, in weiten, zum Teil städtearmen Territorien eine eigene Verwaltungsstruktur aufzubauen. Schutzherr der betreffenden Herrscher war der Kaiser, und dementsprechend werden ihre Reiche als römische Klientelstaaten bezeichnet. Nach Osten bildeten der obere Euphrat und der syrisch-arabische Wüstensaum die Grenze der reichsangehörigen Klientelstaaten. Außerhalb lag Armenien. Hier kreuzten sich der parthische und der römische Einfluß. Zwar gelang es Augustus wiederholt, den armenischen Thron mit Kandidaten seiner Wahl zu besetzen. Aber wegen der Nähe des Partherreiches und der Spaltung des Adels in Faktionen, die sich entweder an Rom oder an die Parther anlehnten, blieben die Machtverhältnisse in Armenien unsicher und schwer kalkulierbar. Ein reichsangehöriger Klientelstaat wurde Armenien jedenfalls nicht.

Das stehende Heer, das mit der Arrondierung des Reiches und mit dem Schutz seiner Grenzen beschäftigt war, mußte besoldet und mit Nachschub versorgt werden. Mit dem stehenden Heer kam die Notwendigkeit, ein rationelles Steuer- und Abgabensystem aufzubauen. Fiskalische Ausbeutung hatte es schon zur Zeit der Republik gegeben. Aber rationell war sie nicht gewesen. Statthalter und Steuerpächter wirtschafteten in die eigene Tasche, und die Kriege und Bürgerkriege, die das letzte Jahrhundert der Republik erschütterten, steigerten die Ausbeutung bis zur Erschöpfung aller Ressourcen. Das brutale Requirierungssystem der Kriegs- und Bürgerkiegszeit mußte, wenn nicht beseitigt, so doch gemildert werden, und es empfahl sich, statt dessen regelmäßige Abgaben in Relation zur Leistungsfähigkeit der Steuerpflichtigen zu erheben. Wichtigstes Produktivvermögen waren Grund und Boden sowie die Arbeitskräfte, die ihn bebauten. Landvermessungen und Volkszählungen bildeten die Grundlage des von Augustus eingeführten Steuersystems. Der Anfang der Weihnachtsgeschichte bezieht sich auf diesen Vorgang: „Es begab sich aber in jenen Tagen, daß ein Gebot von Kaiser Augustus ausging, daß die ganze Welt geschätzt werde" (Lukas 2,1).

Ohne Widerstand der Betroffenen gelang die Einführung des rationellen Steuerstaates freilich nicht überall. In Judäa kam es ebenso wie in Gallien zu Unruhen und Aufständen. Dennoch brachte das neue System den Provinzialen mehr Vorteile als Nachteile. Die Armee stand an den Grenzen, und die Statthalter benötigten nicht mehr riesige Kapitalien für Wahlkampf und politische Bestechung in Rom.

Auch unter Augustus (und den späteren Kaisern) gab es Erpressung, Amts- und Machtmißbrauch, und schon wegen der politisch gebotenen Rücksichtnahme des Kaisers auf die senatorischen Standesgenossen blieb ihrer Amtsführung ein verhältnismäßig großer Spielraum. Aber aus potentiellen Konkurrenten um die Macht im Staate waren hochgestellte Helfer des Kaisers geworden. In den kaiserlichen Provinzen waren die auftraggebundenen Legaten des Augustus dies auch formell, und was die senatorischen anbelangt, so konnte der Kaiser auch hier, wenn es ihm nötig erschien, regulierend eingreifen. Vor allem aber: Es war der Kaiser, der entscheidenden Einfluß auf senatorische Karrieren nahm. Zwar stand den Angehörigen des Senatorenstandes ein Betätigungsfeld offen, das noch größer als in republikanischer Zeit war. Es reichte von den alten republikanischen Ämtern bis zu neuen, Senatoren vorbehaltenen stadtrömischen Positionen, von den Legionskommandos bis zu den Statthalterschaften in den kaiserlichen und senatorischen Provinzen. Aber letztlich waren alle diese Positionen dem neuen Machtzentrum des Reiches, dem Kaiser, untergeordnet.

Der Senatorenstand war mit seinen 600 Mitgliedern freilich zu klein, um den steigenden Bedarf an Führungspersonal decken zu können. Augustus reorganisierte die Ritterschaft in den Formen der alten Heeresverfassung und schuf, in Anknüpfung an das Konzept des C. Gracchus, in dem erneuerten, 6000 Staatspferdinhaber umfassenden Ritterstand eine zweite Funktionselite für Armee und Reichsadministration. Nicht nur, daß Ritter die erdrückende Mehrheit der Einzel- und Geschworenenrichter in Rom stellten: Aus ihnen rekrutierten sich die Mehrheit der Legionstribunen und die Befehlshaber der Auxiliareinheiten. In einer neugeschaffenen Kategorie kaiserlicher Provinzen, in denen keine Legionen stationiert waren, bekleideten Ritter mit dem Titel eines Praefekten oder (später) eines Prokurators die Position von Statthaltern. Pontius Pilatus, der unter Kaiser Tiberius, dem Nachfolger des Augustus, Jesus von Nazareth kreuzigen ließ, war in Judäa einer dieser ritterlichen Statthalter. Die Spitzenposition, die ein Ritter erreichen konnte, war die des Vizekönigs von Ägypten (*praefectus Aegypti*). Aus dem Ritterstand stammten auch die beiden Kommandeure der in Rom und Umgebung stationierten Praetorianergarde (*praefecti praetorio*). Die Vertrauensstellung, die sie genossen, und die Nähe zur Person des Kaisers gaben ihnen die Chance eines großen Einflusses. Realisiert wurde sie freilich erst unter Augustus' Nachfolgern. Schließlich fallen in die Regierungszeit des Augustus auch noch die Anfänge der ritterlichen Prokuratorenlaufbahn in der Finanz- und kaiserlichen Güterverwaltung. Hier wie in der kaiserlichen Zentrale waren die Übergänge zwischen Haus- und Staatsverwaltung allerdings fließend (und sollten es noch lange bleiben). Das äußere Kennzeichen dieses Zustandes war die Verwendung von Freigelassenen und Sklaven im kaiserlichen Dienst.

Augustus hatte es verstanden, den Staats- und Gesellschaftsaufbau der späten Republik unter Wahrung der Tradition so umzugestalten, daß er mit den Bedürfnissen des Weltreichs vereinbar wurde. Voraussetzung waren die Beendigung des Machtkampfes in Rom und die Ersetzung des verlorengegangenen Konsenses der Senatsaristokratie durch die Führung des ersten Bürgers (*princeps*: daher rührt die Bezeichnung Prinzipat für die augusteische Staatsordnung). Augustus' Führerschaft legitimierte sich durch überragende Leistung. Niemand hat dies so klar zum Ausdruck gebracht wie der Kaiser selbst in seinem Tatenbericht. Unter diesen Voraussetzungen stellte sich freilich die Frage, wie der Welt die Segnungen des „glücklichsten Zustandes" über den Tod seines Schöpfers hinaus erhalten werden konnten. Die Amtsgewalten, die institutionellen Grundlagen des Kaisertums, waren übertragbar, aber galt dies auch für das enorme Kapital an Prestige und Macht, auf dem die Stellung des Augustus letztlich beruhte?

Unbestreitbar war, daß die Nachfolgefrage nur innerhalb der Familie des Kaisers gelöst werden konnte. Das Bauprinzip der römischen Gesellschaft beruhte auf Patronats- und Klientelverhältnissen, und Augustus war unter anderem als Erbe der spätrepublikanischen Armeeführer der Patron der mächtigsten Klientel: der Armee. Andererseits erlaubte der republikanische Zuschnitt der römischen Staatsordnung nicht die Einführung einer Erbmonarchie. Und schließlich: Ein möglicher Nachfolger mußte sich durch Leistungen der Öffentlichkeit empfehlen. Augustus hatte seinem ältesten Enkel, Gaius Caesar, die Rolle des Nachfolgers zugedacht. Doch starb dieser 4 v. Chr. in jugendlichem Alter. Dann fiel die Wahl auf den Stiefsohn Tiberius und damit auf einen erfahrenen und bewährten Helfer des Kaisers. Die Designation vollzog sich auf doppeltem Wege: Tiberius wurde von Augustus adoptiert, und damit war er privatrechtlich zum Erben nicht nur des gewaltigen Vermögens, sondern auch der über das ganze Reich verteilten Klientel des

Augustus und der Loyalität der Armee erklärt. Nach ihrer öffentlich-rechtlichen Seite hin bestand die Designation darin, daß Tiberius Anteil an den wichtigsten kaiserlichen Amtsgewalten erhielt: der tribunizischen und der prokonsularischen. Durch die Lösung des Nachfolgeproblems überlebte das Kaisertum den Tod seines Schöpfers. Es wurde zu der monarchischen Institution, die das Römische Reich bis zu seinem Ende prägte.

IV. Die Kaiserzeit

Von der Julisch-Claudischen (14–68) bis zur Severischen Dynastie (193–235) sicherte das Kaisertum dem Römischen Reich Frieden und relativen Wohlstand. Freilich war die Kaiserzeit nicht frei von Krisen und Spannungen. Sie waren die Folge innerer Widersprüche, die dem Kaisertum immanent waren. Es durfte von seinen Voraussetzungen her keine Erbmonarchie sein, und doch war die dynastische Sukzession Unterpfand der Stabilität. Das Ende einer Dynastie konnte Bürgerkrieg mit verheerenden Folgen für die antike Welt bedeuten. Glücklicherweise ist es dazu nur zweimal gekommen: nach Neros gewaltsamem Ende (68) und nach der Ermordung des Commodus (192). Als mit der Ermordung Domitians die Flavische Dynastie endete (96), konnte die Katastrophe vermieden werden. Der vom Senat eingesetzte Kaiser Nerva adoptierte mit Trajan einen führenden Militär und designierte ihn zum Nachfolger. Das Bündnis zwischen zivilen Eliten und Armee, auf dem das Kaisertum beruhte, war erneut geknüpft.

Der Schöpfung des Augustus wohnte noch ein anderer innerer Widerspruch inne. Auf der einen Seite war das Kaisertum von Anfang an mehr als die Summe der es begründenden Amtsgewalten. Es war faktisch das absolute Machtzentrum, und seine unbegrenzte Machtfülle war zu Beginn der Flavischen Dynastie durch ein Volksgesetz auch rechtlich sanktioniert worden. Aber auf der anderen Seite hatte der Kaiser auf die gesellschaftlichen Eliten Rücksicht zu nehmen, insbesondere auf die Senatsaristokratie und ihren traditionellen Anspruch, den römischen Staat zu repräsentieren. Das aber hieß: Der Kaiser mußte die Führungsrolle nicht nur im Reich, sondern auch im Binnenraum des römischen Staates wahrnehmen, aber er durfte nicht den Autokraten herauskehren. Die richtige Mitte zu finden verstand sich nicht von selbst: Es war *die* politische Aufgabe des Kaisertums. Tiberius, der Nachfolger Augustus', ließ gegenüber dem Senat die führende Hand zunehmend vermissen, Caligula, Nero, Domitian und Commodus betonten auch äußerlich ihre Allmacht. Beides führte zu Katastrophen, in die ebenso die betreffenden Herrscher wie die Senatsaristokratie verwickelt wurden. Das düstere, spannungsgeladene Bild, das der große Historiker Tacitus von der Julisch-Claudischen Dynastie entworfen hat, ist der bedeutendste literarische Reflex dieser Verhältnisse.

Eine Wendung zum Besseren trat unter den sog. Adoptivkaisern von Trajan bis Marc Aurel, dem Philosophen auf dem Thron der Caesaren, ein. Zwar wurde unter ihnen die kaiserliche Kontrolle der gesamten Reichsadministration eher straffer und effizienter als vorher ausgeübt, aber sie vermieden jede autokratische Attitüde. Marc Aurel schrieb sich selbst ins Stammbuch: „Hüte dich davor, zu verkaisern" (Selbstbetrachtungen VI 30). Diese Herrscher verstanden sich als erste Diener des Staates, und sie fanden, indem sie sich den Idealen einer humanen Ethik unterstellten, mit den gesellschaftlichen Eliten und den mit ihnen verbundenen Intellektuellen (im griechischen Osten nannten sie sich Sophisten, von daher erklärt sich die Bezeichnung „Zweite Sophistik") eine Ebene der Übereinstimmung, die Herrscher und Beherrschte miteinander verband.

Dementsprechend fand das humanitäre Kaisertum in der öffentlichen Meinung des Westens und mehr noch in der des griechischen Ostens schon im 2. Jh. eine begeisterte Resonanz. Das 18. Jh. sah dann verständlicherweise in ihm das Vorbild eines aufgeklärten Absolutismus. Damals faßte der große Historiker der Spätantike, Edward Gibbon, das positive Werturteil in eine Gedankenfigur, die nach Form und Inhalt an eine berühmte Würdigung der Kaiserherrschaft durch Theodor Mommsen erinnert: „Wenn jemand aufgefordert werden sollte, die Periode der Weltgeschichte anzugeben, während welcher Lage des Menschengeschlechtes die beste und glücklichste war, so würde er ohne zögern diejenige nennen, welche zwischen dem Tode des Domitian und der Thronbesteigung des Commodus verfloß." Dieses Bild, das den antiken Lobrednern des humanitären Kaisertums verpflichtet ist, reflektiert das Einverständnis zwischen den gesellschaftlichen Eliten und den Kaisern, es ist jedoch einseitig und bedarf der Einfügung in ein breites Panorama der römischen Kaiserzeit.

Die Organisation eines Weltreiches

Die Kaiser nahmen für sich in Anspruch, der zivilisierten Welt den äußeren und den inneren Frieden zu sichern. Das bedeutete zunächst den Schutz der Reichsangehörigen vor Einfällen von außen, dann die Aufrechterhaltung von Ruhe und Ordnung im Inneren und schließlich die Wahrung des Rechtsfriedens. Das Instrument zur Bewältigung der ersten und der zweiten Aufgabe war die Armee. Legionen und Hilfstruppen wurden hauptsächlich an den Grenzen des Reiches aufgestellt. Aber damit sie den Schutz des Reiches gewährleisten konnten, mußten die optimalen Grenzen gefunden und gesichert werden. Augustus hatte zwar nach dem Fehlschlag der Unterwerfung Germaniens die Losung ausgegeben, das Imperium nicht über die drei großen Ströme – Rhein, Donau und Euphrat – hinaus auszudehnen. Aber auch innerhalb der Stromgrenzen gab es bei seinem Tode noch weite Gebiete, in denen keine direkte römische Herrschaft etabliert war, sondern sog. Klientelstaaten bestanden. Sie reichten vom Schwarzen Meer bis an die Grenzen Ägyptens. In Europa gab es sie in Thrakien (im heutigen Bulgarien) und im Noricum (im Ostalpengebiet). Im Laufe des 1. Jhs. der Kaiserzeit wurde ihr gesamtes Territorium mit Ausnahme des auf der Krim und am Asowschen Meer gelegenen Bosporanischen Reiches in das Provinzialsystem einbezogen und die Grenzverteidigung der römischen Armee übertragen. Das letzte dieser in Provinzen umgewandelten Reiche, das der Nabatäer im heutigen Jordanien, wurde 106 von Trajan als Provinz Arabia organisiert. Aber auch mit der Verschiebung der römischen Armee an die Stromgrenzen bzw. an den arabischen Wüstensaum war die Frage nach der günstigsten Grenzziehung noch nicht gelöst.

Die römische Grenzpolitik besaß zwei Optionen: Kontrolle des Vorfeldes mit diplomatischen Mitteln und gegebenenfalls mit begrenzten militärischen Interventionen oder Ausdehnung des direkten Herrschaftsgebietes. Von welcher Möglichkeit Gebrauch gemacht wurde, hing von den Umständen ab. Um Gallien abzusichern, begann Kaiser Claudius mit der Eroberung Britanniens. Die Unterwerfung des Landes zog sich bis in die Zeit des Kaisers Domitian hin, dauerte also etwa 40 Jahre (43–84). Auch in Britannien stellte sich wieder die Frage der günstigsten Grenzziehung. Die von Kaiser Hadrian (117–138) gegebene Antwort, der vom Solway zum Tyne gezogene befestigte Grenzwall, erwies sich schließlich als die dauerhafte Lösung. – Am Oberrhein zog der Bürgerkrieg, der 68 nach dem Ende der Julisch-Claudischen Dynastie ausbrach, eine Verschiebung der Grenzen nach Osten nach sich. Die Erfahrungen des Krieges hatten nahegelegt, eine günstige Straßenverbindung zwischen Italien, dem Alpenvorland und dem Oberrheingebiet zu suchen, und damit war wieder die Frage der günstigsten Grenzziehung aufgeworfen. Sie erfolgte schließlich, in mehreren Etappen, durch die Anlage des obergermanisch-rätischen Limes, der das Land zwischen Wetterau, Untermain, Neckar und Schwäbischer Alb einschloß. Seine endgültige Gestalt gewann diese befestigte Grenzlinie unter Kaiser Antoninus Pius (138–161). – Noch unter Kaiser Domitian (81–96) wurde die untere Donau zur neuralgischen Zone der römischen Grenzverteidigung. Im Karpatenbogen bildeten die Daker unter ihrem König Decebalus ein expandierendes Reich. Kaiser Trajan vernichtete dieses Reich und gliederte den Karpatenbogen als Provinz Dacia in das Römische Reich ein (102–107). – Trajan versuchte auch, im Osten gegenüber dem Partherreich Sicherheit durch Expansion zu erreichen. Er eroberte Armenien und das Zweistromland (114–116). Doch zeigte sich, daß die Kräfte des Reiches überfordert waren. Unmittelbar nach seiner Thronbesteigung verzichtete Kaiser Hadrian 117 auf die eroberten Provinzen Armenia, Assyria und Mesopotamia. Diese Selbstbeschränkung im Osten schloß kleinere Grenzkorrekturen zugunsten Roms nicht aus. Kaiser Septimius Severus organisierte 199 einen Teil des nördlichen Zweistromlandes als Provinz Mesopotamia.

Grenzerweiterungen mochten im Einzelfall eine sinnvolle

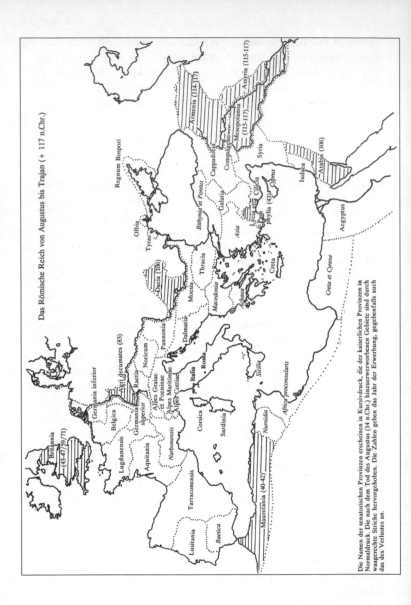

Das Römische Reich von Augustus bis Trajan (+ 117 n.Chr.)

Die Namen der senatorischen Provinzen erscheinen in Kursivdruck, die der kaiserlichen Provinzen in Normaldruck. Die nach dem Tod des Augustus (14 n.Chr.) hinzuerworbenen Gebiete sind durch waagerechte Striche hervorgehoben. Die Zahlen geben das Jahr der Erwerbung, gegebenfalls auch das des Verlustes an.

Antwort auf Bedrohungen von außen darstellen. Aber im Prinzip veränderten sie nicht die strategische Lage des Reiches. Seine Grenzen waren überdehnt. Sie erstreckten sich über ca. 16 000 km. Ungefähr ein Zehntel war durch befestigte Grenzanlagen, zwei weitere durch Stützpunktsysteme geschützt. Die Masse der knapp 400 000 Mann starken Armee war in den Grenzzonen stationiert. Strategische Reserven fehlten. Schwerpunktbildungen an einer Front mußten mit der Schwächung anderer bezahlt werden. Bei der gewaltigen Ausdehnung des Reiches kann von einem Vorteil der inneren Linie kaum die Rede sein. Zwar entstand ein Straßensystem, primär für die Bedürfnisse der Armee und der Administration, das ungefähr 78 500 km umfaßte. Es erleichterte die Verschiebung von Truppen, aber sie blieb zeitaufwendig und schwierig. Immerhin reichten im 2. Jahrhundert die Kräfte des Reiches noch aus, um mit Krisen an den Grenzen fertig zu werden. Kaiser Marc Aurel konnte unter größten Anstrengungen die territoriale Integrität des Reiches gegenüber den Parthern im Osten und gegenüber den Markomannen sowie sarmatischen Völkern an der mittleren Donau wiederherstellen (161–180).

Teile der Armee wurden auch zur Wahrung von Ruhe und Ordnung im Inneren des Reiches verwendet. Ihre Aufgaben reichten von der Niederschlagung von Aufständen bis zur Aufspürung von Straßenräubern. Reisen auf dem Lande und zur See waren sicherer als zur Zeit der Republik, aber das Maß an Sicherheit entsprach nicht dem modernen Standard. Auch soziale und ethnisch-religiöse Unruhen waren vor allem im Osten des Reiches keineswegs selten. Das größte Ausmaß nahmen die jüdischen Aufstände von 66–70/73, von 116/117 und 132–135 an. Sie mußten in regelrechten Feldzügen niedergeschlagen werden. Generell wurden gewalttätige Ausschreitungen mit Gewaltanwendung oder zumindest mit der Androhung von Gewalt beantwortet. Als die Juden Alexandriens 42 drohten, sich für das an ihnen verübte Pogrom zu rächen, redete Kaiser Claudius beiden Parteien nicht nur gut zu, er drohte auch: „Und ich sage euch ein für allemal, daß, wenn ihr nicht mit der mörderischen und verstockten Wut gegeneinander ein Ende macht, ich gezwungen sein werde, zu zeigen, wie ein Kaiser ist, dessen Milde in gerechten Zorn umschlägt" (Papyrus Londinensis 1912).

Der Sorge um die Aufrechterhaltung von Ruhe und Ordnung entsprach die Ermächtigung der Statthalter, Provinziale nach eigenem Ermessen ohne gerichtliche Untersuchung und Urteil hinrichten zu lassen. Auf jedes Sicherheitsrisiko und auf jede Widersetzlichkeit konnte er so antworten. Ein Rechtsstaat, der das Individuum gegen willkürliche Anwendung des staatlichen Gewaltmonopols schützte, war das Römische Reich nicht. Noch am ehesten genossen römische Bürger Rechtssicherheit. Dies ist der Grund, warum sich der Apostel Paulus in einer kritischen Situation in Jerusalem als römischer Bürger zu erkennen gab. Einflußreiche Provinziale der Oberschicht konnten in der Regel mit einem ordentlichen Verfahren rechnen. Wer den Unterschichten angehörte, war in kritischer Situation verloren. Mit Jesus von Nazareth machte Pontius Pilatus „kurzen Prozeß", und um 112 ließ der jüngere Plinius, kein der Grausamkeit verdächtiger Mann, in Kleinasien Christen, die sich weigerten, dem Kaiser zu opfern, wegen Widersetzlichkeit töten – soweit sie Provinziale waren: Römische Bürger schickte er zur gerichtlichen Untersuchung nach Rom.

Aber wenn das kaiserliche Regiment auch an dem Vorrang des obersten Staatszweckes, der Aufrechterhaltung von Ruhe und Ordnung, vor dem Schutz des einzelnen festhielt: Es schützte nach Möglichkeit bestehende Rechte und Privilegien, mochte es sich um die von Städten und Körperschaften oder um die von Individuen handeln. Privatpersonen, Städte, Provinziallandtage und Statthalter wendeten sich in Konfliktfällen und bei offenen Rechtsfragen mit Vorliebe an den Kaiser. Insofern ist nicht zu Unrecht gesagt worden, daß der Kaiser nicht regiert, sondern reagiert. Aber in aller Regel war dieses Reagieren weder vom Wohlwollen des Patrons noch von der gehässigen Willkür des Tyrannen bestimmt, sondern es orientierte sich am Recht als der Kunst, die Gesichtspunkte des Guten und der Billigkeit ausfindig zu machen. Die Voraussetzung dazu bot das enge Bündnis zwischen Kaisertum und römischer Rechtswissenschaft in der Zeit des humanitären Kaisertums.

Freilich: Was die Kaiser durchsetzen wollten und was sie konnten, war keineswegs immer auf einen Nenner zu bringen. Gewiß versuchten sie, den Mißbrauch der Amtsgewalt, die Willkür der Requirierungen und die Übergriffe der Mächtigen einzudämmen. Sie haben diesen Kampf jedoch nicht gewonnen. Aber zu ihrer Ehre muß gesagt werden, daß sie ihn, sieht man von den chaotischen Jahrzehnten der sog. Soldatenkaiserzeit im 3. Jh. einmal ab, auch niemals aufgegeben haben. Die Kaiser haben sich auf diese Weise ein Kapital an Vertrauen erworben, das sich in innerer Zustimmung zur römischen Herrschaft niederschlug. Die Aufforderung des Apostels Paulus, der (römischen) Obrigkeit untertan zu sein, fand ihre Begründung in der Vorstellung, daß im Römischen Reich staatliche Gewalt in enger Bindung an die Gerechtigkeit ausgeübt werde: „Darum ist es notwendig, untertan zu sein, nicht allein um der Strafe, sondern auch um des Gewissens willen" (Römer 13).

Das innere Zusammenwachsen des Reiches wurde noch auf andere Weise gefördert: durch Verleihung des römischen Bürgerrechts an einzelne Personen und Personengruppen sowie durch die Einbeziehung von Angehörigen der Oberschichten in Ost und West in die beiden Stände der Reichsaristokratie. Das Kaisertum war der Motor dieses Prozesses, und es setzte ihn auch gegen unvermeidliche Widerstände durch. Die Überlegenheit Roms beruhte, so belehrte Kaiser Claudius die Senatoren, auf der Bereitschaft, die Besiegten zu integrieren, und auf der Fähigkeit, das Alte an neue Bedingungen anzupassen: „Was sonst wurde den Lakedaimoniern und Athenern trotz der Schlagkraft ihrer Waffen zum Verhängnis, wenn nicht dies, daß sie die Besiegten als Fremdstämmige von sich fernhielten? Demgegenüber besaß unser Staatsgründer Romulus soviel Weitsicht, daß er nicht wenige Völkerschaften an einem einzigen Tag aus Feinden zu Mitbürgern machte" (Tacitus, Annalen XI 24).

In die gleiche Richtung wirkte das einheitliche Bauprinzip, nach dem das Reich aufgebaut wurde. Wie alle Großreiche des

Altertums war das römische eine über Selbstverwaltungseinheiten gelegte Suprastruktur. Die elementare Einheit waren die Stadt und ihr Territorium. Das Römische Reich, in der frühen Kaiserzeit rd. 3,5 Mio. km^2 mit 50–60 Mio. Einwohnern, bestand im wesentlichen aus über 2000 städtischen Gemeinden. Im griechischen Osten waren die Städte nach dem Vorbild der Polis, im lateinischen Westen nach dem Vorbild der römischen Munizipien und Kolonien geprägt. Sie waren nicht nur die Zentren einer gleichförmigen griechisch-römischen Zivilisation (was sich noch im Erscheinungsbild der erhaltenen Bauten und Monumente niederschlägt), sondern sie wiesen auch bei allen Unterschieden im einzelnen eine ähnliche gesellschaftliche Struktur auf. Die führende Klasse war eine reiche, in der Regel grundbesitzende Schicht, die die städtischen Magistrate und den Stadtrat stellte. Diese führten die Geschäfte der Selbstverwaltung (der Einfluß der weiterbestehenden Volksversammlungen war demgegenüber gering), und sie übernahmen für das Reich organisatorische Aufgaben. Diese betrafen in erster Linie die Einziehung der Steuern und die Organisation der Dienste und Naturalabgaben, die für die Armee und Administration zu leisten waren. Alle diese Organisationsleistungen mußten unentgeltlich erbracht werden. Das Reich und die Städte minimierten auf diese Weise die Kosten der Verwaltung. Möglich war das nur, weil eine Schicht reicher Leute vorhanden war. Auch die Lebensqualität der städtischen Zentren, der repräsentative Charakter der öffentlichen Bauten, die Ausstattung mit Bädern, Wasserleitungen und Theatern, kurz: der hohe Standard des urbanen Komforts hingen zu einem beträchtlichen Teil von der Fähigkeit und der Bereitschaft der städtischen Eliten zu Schenkungen und Stiftungen ab.

Eine starke soziale Differenzierung und die Existenz einer reichen grundbesitzenden Schicht waren somit unerläßliche Voraussetzung für das blühende Städtewesen und für die Organisation des Römischen Reiches. Die Herrschaft über die Weite des Raumes erfolgte mittels der Stadt, und dementsprechend waren alle Versuche, neue Räume in den Verband des Römischen Reiches zu integrieren, an die Möglichkeit von Städtegründungen geknüpft. Die Kaiserzeit hat in dieser Hinsicht alle Möglichkeiten ausgeschöpft. Städte zu gründen und zu fördern war der Ruhmestitel der Kaiser, und ihr Werk war die Urbanisierung des Reiches. Der Prozeß der Umwandlung von Stammesverbänden in Städte führte in Nordafrika oder im südlichen Spanien zu einem dichten Netz von Ackerbürgergemeinden, in Gallien, Britannien, den germanischen und den Donauprovinzen war es zum Teil sehr weitmaschig. Dies erklärt sich aus den vorgefundenen Faktoren der Besiedlungsdichte, der Sozialstruktur und der Stammesgliederung. Der Prozeß der Urbanisierung vollzog sich ja nicht auf der Tabula rasa geschichtsloser Länder. Städtereiche Gebiete waren die mediterranen Kernzonen des Reiches: Südspanien und das südliche Gallien, Nordafrika, Italien, Griechenland, große Teile Kleinasiens und der Vordere Orient. Verhältnismäßig städtearm blieben trotz allem die west- und mitteleuropäischen Länder.

Das Römische Reich der Kaiserzeit erscheint als ein großer Städteverband innerhalb eines nach außen und innen befriedeten Binnenraumes. Dieser Raum war mehr oder weniger geprägt von der griechisch-römischen Zivilisation, und in ihm waren zwei Hauptverkehrssprachen, das Lateinische im Westen und das Griechische im Osten, die Grundlage der überlokalen Kommunikation und des geistigen Lebens. Überlagert war der Städteverband von der in Provinzen gegliederten Herrschaftsorganisation des Reiches. Von ihr ausgenommen war nur Italien als geschlossenes römisches Bürgergebiet. Innerhalb der Provinzen vereinten die senatorischen oder ritterlichen Statthalter militärisches Kommando und zivile Verwaltungsfunktionen. Sie sorgten für die öffentliche Sicherheit, übten jurisdiktionelle Befugnisse aus und führten die Aufsicht über die städtische Selbstverwaltung. Dagegen unterlagen die Einziehung der Steuern und Zölle sowie die Bewirtschaftung der Bergwerke und der riesigen kaiserlichen Gutsbezirke nicht ihrer Aufsicht. Wirtschaft und Finanzen waren kaiserlichen Prokuratoren unterstellt. Die Spitzenstellungen waren Angehörigen des Ritterstandes vorbehalten, die unteren waren mit kaiserlichen Freigelassenen und Sklaven besetzt. Die Expansion dieses Zweigs der kaiserlichen Verwaltung – die Zahl der ritterlichen Prokuratoren stieg von Augustus bis Marc Aurel von 26 auf 150 – ist nur ein Indiz für den Preis, der für den römischen Frieden bezahlt werden mußte: den organisierten Steuer- und Abgabenstaat. Tacitus läßt den flavischen Feldherrn Petilius Cerialis den Abgeordneten gallischer Stammesgemeinden sagen: „Es kann keine Ruhe unter den Völkern ohne eine bewaffnete Macht geben, eine bewaffnete Macht nicht ohne Soldzahlungen, Soldzahlungen nicht ohne Steuern" (Historien IV 74,1).

Abgesehen von den Erträgen der kaiserlichen Güter und der Bergwerke kamen die regulären Haupteinnahmen von der Besteuerung des Bodenertrags. Hinzu kamen eine Kopfsteuer sowie Binnen- und Außenzölle. Römische Bürger waren von direkten Steuern befreit. Aber sie unterlagen Verkaufs-, Freilassungs- und Erbschaftssteuern, deren Höhe zwischen 1 und 5 % des Wertes der betreffenden Objekte variierte. Die Erbschaftssteuer lastete nur auf den größeren Vermögen. Ihr Ertrag war für die Militärpensionskasse bestimmt. Insofern war sie, verglichen mit den Landenteignungen, die in der späten Republik der Preis der Veteranenversorgung waren, das geringere Übel. Die Untertanen trugen nicht nur die Last der direkten Besteuerung: Sie wurden nach ihrer Leistungsfähigkeit auch zu Dienst- und Arbeitsleistungen, Quartiergewährung und zu zusätzlichen Naturallieferungen herangezogen. Auf den Hand- und Spanndiensten der Straßenanrainer beruhte das Post- und Transportwesen des Reiches, und die Kosten der Steuereinziehung lasteten auf den Städten. An die legalen Forderungen des Reiches heftete sich wie ein Schatten der Mißbrauch des Leistungssystems durch die Mächtigen. Die Kaiser haben ihn bekämpft, beseitigen konnten sie ihn nicht.

Gemessen an seinen Bedürfnissen war die Finanzdecke des Reiches knapp bemessen. Im 1. Jh. betrugen die regulären jährlichen Einnahmen rd. 750 Mio. Sesterzen. Kaiser Vespasian sanierte 70 den chronisch defizitären Haushalt durch eine 25 %ige Steuererhöhung. Der größte Kostenfaktor war die Armee, dann kamen die Aufwendungen für die Hauptstadt und für die Reichsadministration. Die laufenden Kosten für die Armee verschlangen rd. 60 % der regulären Einnahmen. Hinzu kamen außerordentliche Zuwendungen, die bei Thronwechsel, Regierungsjubiläen, Siegesfeiern und ähnlichen Anlässen fällig waren. Das Donativ, das Marc Aurel und sein Mitregent 161 an die Armee auswarfen, betrug die gewaltige Summe von 1,1 Milliarden Sesterzen, überstieg also die regulären Einnahmen eines Jahres. Für die kostenlose Getreideverteilung an 200 000 Empfänger in Rom sowie für Spiele und Volksbelustigungen wurden 60–70 Mio. Sesterzen aufgewendet. Die Höhe der außerordentlichen Spenden variierte für die Regierungszeit der einzelnen Kaiser von 100 Mio. (Claudius) bis 680 Mio. (Marc Aurel). Unverkennbar ist die steigende Tendenz der Ausgaben. Im 1. Jh. wurden für die Gehälter der Statthalter und Prokuratoren 40–50 Mio., im 2. Jh. 60–70 Mio. Sesterzen aufgewendet. Die Gehaltspyramide, in die die hohen Funktionäre der Reichsadministration eingeordnet waren, reichte von 60 000 bis 1 Mio. Sesterzen. Die astronomische Höhe der Gehälter wird aus dem Vergleich mit dem Sold eines Legionärs der untersten Gehaltsstufe deutlich. Er betrug im 1. Jh. 900, im 2. Jh. 1200 Sesterzen im Jahr. Die Einkommensunterschiede – der Prokonsul von Asia erhielt ungefähr das Tausendfache eines einfachen Legionärs – war das getreue Abbild der sozialen Differenzierung und der Besitzunterschiede im Römischen Reich der Kaiserzeit. – In der Zeit der Adoptivkaiser wurden ca. 400 Mio. Sesterzen in Stiftungen angelegt, deren Ertrag für den Unterhalt freigeborener Kinder der Unterschichten Italiens verwendet wurde. Nicht zu beziffern sind die Summen, die für Bauten, für Spenden an bestimmte Personengruppen und für Hilfsmaßnahmen bei Naturkatastrophen und Feuersbrünsten aufgebracht wurden. Gleiches gilt für die Kosten der Subsidien und Geschenke, die die Barbaren im Vorfeld des Reiches erhielten. Sie waren Teil der Ausgaben, die für die äußere Sicherheit gezahlt werden mußten. Da zur Bestreitung der Ausgaben die regulären Einnahmen nicht ausreichten, mußte über die Requirierung von Dienst- und Sachleistungen hinaus nach zusätzlichen Geldquellen Ausschau gehalten werden. Außerordentliche Anlässe zogen nicht nur Sonderausgaben nach sich, sondern auch Sonderforderungen wie das offizielle Geldgeschenk für den Kaiser. Als Claudius über Britannien triumphierte (48), brachten allein die westlichen Provinzen des Reiches 2 goldene Kränze im Wert von 150 Mio. Sesterzen auf. Hinzu kamen die Erlöse aus Konfiskationen. Insbesondere die Hochverratsprozesse, in die von Zeit zu Zeit Angehörige der Reichsaristokratie verwickelt waren, spielten auf der Einnahmeseite ein nicht unerhebliche Rolle.

Die Gesamteinnahmen und -ausgaben des Römischen Reiches sind also nicht exakt zu ermitteln. Aber eine Schätzung der (regulären) Steuerquote ist immerhin möglich: Sie stieg aufgrund der Reform Vespasians von ca. 10 auf 14%. Gemessen an modernen Verhältnissen erscheint sie niedrig, unter den ökonomischen und gesellschaftlichen Bedingungen des Römischen Reiches war sie jedoch hoch.

Wirtschaft und Gesellschaft

Die ökonomische Grundlage des Römischen Reiches war die Landwirtschaft. Von seinen rd. 60 Mio. Einwohnern arbeiteten 80–90% auf dem Lande. Der weitaus größte Teil des Sozialprodukts wurde hier erwirtschaftet. Landbesitz war die sicherste und auch angesehenste Form der Kapitalanlage. Bewirtschaftung und Ertrag des Bodens variierten entsprechend den unterschiedlichen klimatischen Bedingungen und der Bodenqualität. Angebaut wurde Getreide, das Grundnahrungsmittel der antiken Welt, und in den mediterranen Trockengebieten Oliven sowie Wein und Hülsenfrüchte. Die Viehzucht basierte im wesentlichen auf dem Wechsel von Sommer- und Winterweide. Im ganzen war der Viehbestand geringer als im heutigen Nordwest- und Mitteleuropa. Von Ausnahmen wie dem bewässerten Anbaugebiet im Niltal abgesehen wurde Zweifelderwirtschaft betrieben. Jeweils die Hälfte des anbaufähigen Areals lag brach. In den mediterranen Trockengebieten war der Feldbau extrem arbeitsintensiv. Sowohl die bebauten wie die brachliegenden Felder mußten häufig gepflügt und gehackt werden, damit der Boden die notwendige Feuchtigkeit speichern konnte. Bei hoher Arbeitsintensität warf die Landwirtschaft im Durchschnitt eher geringe Erträge ab. Während in Ägypten das Zehnfache der Aussaat geerntet wurde, kam man in Italien etwa auf das Vierfache (zum Vergleich: die Ernteerträge bei Getreide liegen heute beim 30- bis 40fachen der Aussaat). Das aber bedeutet: Eine kleinbäuerliche Familie produzierte nicht viel mehr, als sie selbst verbrauchte. Sie betrieb Subsistenzwirtschaft, und es liegt auf der Hand, daß auf dieser Grundlage die Kapitalakkumulierung unmöglich gewesen wäre, auf der sich die gesellschaftliche Differenzierung, das hochentwickelte Städtewesen und das kostenintensive politische System eines Großreiches erhoben. Dies alles war auf den Reichtum einer kleinen Schicht gegründet. Die großen Vermögen der Kaiserzeit repräsentierten das über Generationen akkumulierte Surplus einer extensiv betriebenen Landwirtschaft. Man hat errechnet, daß die Spitzenvermögen im Wert von 400 Mio. Sesterzen, die unsere Überlieferung nennt, die größten privaten Vermögen Englands im 17. Jh. um das 30- bis 40fache übertreffen.

Wie sich derartige Vermögen zusammensetzten, ist dem in der Zeit des Augustus errichteten Testament eines reichen Freigelassenen zu entnehmen (Plinius, Naturalis Historia XXXIII 135). Die Rede ist von 3600 Paar Ochsen, 4116 Sklaven, 257 000 Schafen und 60 Mio. Sesterzen in bar. Die Ochsen reichten aus zur Bewirtschaftung von rd. 360 000 Morgen, die Sklaven für 123 000. Da ein erheblicher Teil der Sklaven als Hirten, ein kleinerer als Haussklaven Verwendung gefunden haben muß, wird ein großer Teil des Ackerlandes von Pächtern bearbeitet worden sein. Auf der Verwendung von Sklaven und freien Pächtern beruhte die Arbeitsorganisation des Großgrundbesitzes. Die Institution der Sklaverei gab es im gesamten Römischen Reich, aber was ihre tatsächliche Verbreitung anbelangt, so sind die Unterschiede denkbar groß. Das „gelobte Land" der Sklaverei war Italien. Dort war der mobile und immobile Besitz der Reichsaristokratie konzentriert. In der Landwirtschaft Ägyptens oder der Donauländer spielte die Sklaverei dagegen keine Rolle, und auch der gewaltige Großgrundbesitz des Kaisers in Nordafrika wurde hauptsächlich durch freie Pächter bewirtschaftet. Pachtwirtschaft spielte auch in Italien eine bedeutende Rolle. Nicht nur, daß der Übergang von der Expansion zur Stabilisierung des Reiches den Zustrom von versklavten Kriegsgefangenen einschränkte: Zersplitterter, unübersichtlicher Großgrundbesitz erschwerte die Beaufsichtigung der Sklaven, und damit war die Frage der Rentabilität der von Sklaven bewirtschafteten Güter aufgeworfen. Im 1. Jh. kam ein Agrarschriftsteller zu folgender Schlußfolgerung: „Auf weit abgelegenen Gütern, die zu besuchen für den Gutsherrn nicht leicht ist, ist es für jede Bodenart besser, wenn sie unter freien Pächtern als unter einem mit Sklaven wirtschaftenden Verwalter stehen... Sklaven verleihen Ochsen und weiden sie und das übrige Vieh schlecht, pflügen den Boden nicht sorgfältig und geben an, weit mehr Saat verbraucht zu haben, als sie tatsächlich ausgesät haben; und um das, was sie tatsächlich ausgesät haben, bemühen sie sich nicht so, daß es richtig gedeiht; und wenn sie das Getreide auf die Tenne gebracht haben, vermindern sie es beim Dreschen entweder durch Betrug oder Nachlässigkeit... Daher bin ich der Meinung, daß ein solches Gut, wenn es, wie ich gesagt habe, auf die Gegenwart des Herrn verzichten muß, verpachtet werden sollte" (Columella, De re rustica I 7).

Der Großgrundbesitz erwirtschaftete Überschüsse. Bedingung seiner Existenz war die Möglichkeit ihrer Vermarktung. Zentren der Konsumption waren die Städte des Reiches, deren handwerkliche Produktion ihrerseits auf die Bedürfnisse des ländlichen Marktes und der in den Städten lebenden Großgrundbesitzer ausgerichtet war. Insofern bildeten die kleineren Städte mit 5000 bis 20 000 Einwohnern und ihr städtisches Territorium ein lokales Marktsystem, das durch den Fern- und Regionalhandel mit Luxusgütern und Waren des gehobenen Bedarfs eine Ergänzung erfuhr. Die sporadisch wiederkehrenden Mißernten konnten darüber hinaus auch einen überlokalen Handel mit Getreide bewirken. Die Weite seines Radius hing freilich von der Weite der Transportwege ab. Massengüter über weite Strecken zu Schiff zu transportieren war möglich, auf dem Landweg scheiterte es wegen der Höhe der Kosten.

Einen Sonderfall stellten die großen Städte mit 100 000 bis 750 000 Einwohnern dar, also Rom, Alexandrien, Antiochien und Karthago. Sie alle lagen am Meer oder an schiffbaren Flüssen. Getreide konnte von entfernten Produktionsgebieten eingeführt werden, verderbliche und teure Lebensmittel wurden im Umkreis der Verbraucherzentren produziert. Überhaupt schufen Verteilung von Stadt- und Landbevölkerung in Italien die besten Voraussetzungen für eine Akkumulierung des Landbesitzes und für eine Spezialisierung der Produktion. Gemüseanbau, Milch- und Viehwirtschaft, Weinbau und Ölbaumpflanzungen drängten den Getreideanbau zurück und begünstigten den Absatz überseeischen Getreides. Einen weiteren Konsumptionsschwerpunkt bildete die Armee, und dies gilt vor allem für die im Rheinland und dem Donauraum stationierten Teile. Freilich: Die Versorgung der Armee und teilweise auch der Hauptstadt geschah durch die vom Staat abgeschöpften und umverteilten Überschüsse der Produktion.

Nach heutigen Begriffen weisen Italien und das Römische Reich Züge eines modernen Entwicklungslandes auf. Die Masse der Bevölkerung war in einer extensiv betriebenen Landwirtschaft tätig, Handwerk und Manufaktur verharrten auf einer verhältnismäßig primitiven technologischen Stufe und waren, oft genug bei hoher Qualität der Produkte, in kleinen Betriebseinheiten organisiert. Und doch brachte das gesellschaftliche und politische System dank der Besitzkonzentration und dank der Urbanisierung Resultate hervor, die über das hinausgingen, was der Stand der Arbeitsproduktivität und der Produktionsmittel erwarten ließ. Größenordnung und urbaner Komfort der Städte sind erst wieder im 19. Jh. erreicht worden. Obwohl für öffentliche Bauten die Dienstleistungen der freien Bevölkerung in Gestalt von Hand- und Spanndiensten zwangsweise eingefordert werden konnten, wäre die umfangreiche, auf repräsentative Selbstdarstellung ausgerichtete Bautätigkeit der Kaiserzeit ohne die Konzentration finanzieller Überschüsse in der Hand der Kaiser, der Reichs- und der städtischen Aristokratie unmöglich gewesen. Das in den Ausbau und die Versorgung der Städte investierte Kapital war im wesentlichen aus den Überschüssen der Landwirtschaft geschöpft, und es macht in dieser Hinsicht keinen Unterschied, ob das Kapital von der öffentlichen Hand oder von den gesellschaftlichen und politischen Eliten zugunsten der Städte umverteilt wurde.

Der Größe der privaten Vermögen entsprach der Umfang der Schenkungen und Stiftungen. Ihnen lag der Patronalismus der Aristokratie zugrunde: die traditionelle Gewohnheit, Reichtum durch Munifizenz in Ansehen und gesellschaftliche Macht umzusetzen. Welche Bedeutung dies für die Städte und ihre Bevölkerung hatte, soll am Beispiel des jüngeren Plinius (61/62–112/113) und seiner Heimatstadt Comum (das heutige Como) erläutert werden. Plinius war begütert im Gebiet von Comum und in Umbrien. Sein Landbesitz wird auf den Wert von 17–19 Mio. Sesterzen geschätzt. Einen Teil seines Barvermögens, vielleicht ein Zehntel, hatte er gegen Zinsen ausgeliehen. Er besaß Stadtpaläste in Rom, Laurentum und Comum sowie mehrere Villen am Comer See und in Umbrien. Die Zahl seiner Sklaven betrug mehr als 500. Soweit erkennbar, nahm er an Erbschaften und Legaten 1,45 Mio. Sesterzen ein. Er war nach den Maßstäben senatorischen Reichtums ein mäßig begüterter Mann, der es freilich mit den Reichsten im England des 17. Jhs. hätte aufnehmen können. Was er bei seinem Tode der Stadt Comum hinterließ, ist inschriftlich überliefert: „Gaius Plinius, Sohn des Lucius, aus dem Stimmbezirk Oufentina, Caecilius Secundus, Konsul, Augur, propraetorischer Legat der Provinz Pontus und Bithynien, mit konsularischer Gewalt aufgrund eines Senatsbeschlusses von Kaiser Caesar Nerva Traianus Augustus Germanicus Dacicus, Vater des Vaterlandes, in diese Provinz entsandt, Beauftragter für das Flußbett des Tiber und der Uferbefestigungen sowie des städtischen Abwassersystems, Vorsteher der Staatskasse, Vorsteher der Militärpensionskasse, Praetor, Volkstribun, Quaestor des Kaisers, Abteilungskommandeur der römischen Ritter, Militärtribun bei der dritten Gallischen Legion, Richter beim Erbschaftsgericht stiftete testamentarisch Thermen für... Sesterzen, legte 300000 für ihre Ausschmückung sowie 200000 für ihre Instandhaltung hinzu; weiterhin vermachte er 1866666 für den Unterhalt seiner Freigelassenen, deren Zinsen nach seinem Willen später für eine Speisung des Stadtvolkes verwendet werden sollen; weiterhin hat er zu seinen Lebzeiten 500000 Sesterzen für den Unterhalt von Jungen und Mädchen des Stadtvolkes gestiftet, ebenso eine Bibliothek und zu ihrer Unterhaltung noch einmal 100000 Sesterzen" (Inscriptiones Latinae Selectae 2927).

Geht man davon aus, daß die beiden Großbauten je 1 Mio. kosteten, so belaufen sich seine Stiftungen für Comum auf den Betrag von rd. 5 Mio. Sesterzen. Hinzu kamen noch andere Geschenke. Das umbrische Tifernum Tiberinum erhielt einen kleinen Kaisertempel, und Plinius ließ seine Einweihung auf seine Kosten festlich begehen. Dazu bezahlte er die Restaurierung eines weiteren ländlichen Tempels. Dem Iupitertempel in Comum stiftete er eine korinthische Bronzestatue, und für die Einstellung eines Lehrers stiftete er ein Drittel der Besoldung. Seinem Altersgenossen Romatius Firmus schenkte er 300000 Sesterzen, um ihm den Aufstieg in den Ritterstand zu ermöglichen, einem anderen gab er 40000 für die Bestreitung der Auslagen, die mit der Übernahme einer Offiziersstelle verbunden waren. Die Töchter von Freunden stattete er mit Mitgift von 100000 bzw. 50000 Sesterzen aus, und seiner Amme schenkte er als Altersversorgung ein Gut im Wert von 100000 Sesterzen. Der Dichter Martial erhielt Geld für eine Reise, der Philosoph Artemidorus empfing ein großes zinsloses Darlehen. So eindrucksvoll sich die Munifizenz des Plinius darstellt: Eine Ausnahme war sie nicht, und reichere Leute stifteten größere Beträge als er. Zur Zeit des Kaisers Nero spendete beispielsweise ein reicher Freigelassener der Stadt Massalia (Marseille) rd. 10 Mio., und im kleinasiatischen Aspendos ließ ein reicher Privatmann eine Wasserleitung für 8 Mio. errichten. Typisch für die Wohltätigkeit der Reichen war: Sie begünstigte die Stadt und ihre Bewohner, und sie stellte eine Umverteilung der auf dem Lande erarbeiteten Überschüsse dar. In ähnlicher Weise wirkten die kostenlose Getreideverteilung in Rom und die wie-

derkehrenden Spenden der Kaiser an das Stadtvolk der Hauptstadt.

Schließlich zeigt die zitierte Inschrift noch einen anderen
Zug des gesellschaftlich-politischen Systems. Besitz qualifizierte für alle höheren Ränge des öffentlichen Lebens. Das galt für
die politische Ordnung Roms und setzte sich bis zur Ebene der
städtischen Selbstverwaltung fort. Der Zugang zum Senat, zum
Ritterstand, zu den Geschworenenbänken in Rom und zu den
Stadträten war von einer bestimmten Höhe des Mindestvermögens abhängig. Die der ständischen Abstufung der Gesellschaft
zugrunde liegende Differenzierung der Mindestvermögen
reicht von 100 000 über 200 000 und 400 000 bis zu 1,2 Mio.
Sesterzen, d. h. es liegt ihr das Verhältnis 1:2:4:12 zugrunde.
Die genannten Beträge bezeichnen das Minimum. Wie schon
das Beispiel des Plinius zeigt, betrugen die tatsächlichen Vermögen oft das Mehrfache der Mindestsätze. Dementsprechend
emfingen die ritterlichen Praefekten und Prokuratoren sowie
die senatorischen Statthalter als Besoldung ein Mehrfaches des
Einkommens, das sie aus dem für ihren Stand festgelegten
Mindestvermögen erzielen konnten. Die durchschnittliche Ver-
mögensrendite betrug 6%. Demnach hätte beispielsweise ein
ritterliches Mindestvermögen einen Ertrag von 24 000 Sesterzen im Jahr erbracht. Tatsächlich aber reichte die Besoldungs-
pyramide der ritterlichen Funktionäre von 60 000 bis 300 000
Sesterzen.

Reichtum, speziell in Gestalt von Großgrundbesitz, war die
Basis gesellschaftlicher Geltung, aber die Höhe des Vermögens
bestimmte keineswegs automatisch die Stellung des einzelnen
in der ständischen Rangordnung des Römischen Reiches. Die
Zugehörigkeit zum Senatorenstand war durch Geburt gegeben
oder vom Kaiser gewährt, die zur Funktionselite des Ritterstandes unterlag der kaiserlichen Kontrolle. Fehlendes Vermögen war kein Hinderungsgrund für die Beförderung militärischer oder administrativer Begabungen. Notfalls schenkte der
Kaiser oder ein reicher Privatmann das Geld, das für den Aufstieg in den Senatoren- oder Ritterstand erforderlich war. Be-
währung in der Armee und in der Administration wurde so

zum Motor des gesellschaftlichen Aufstiegs. Zwei – frühe – Beispiele mögen für die große Zahl vergleichbarer Fälle stehen. Ein Q. Octavius Sagitta aus Superaequum Paelignorum (heute Castelvecchio Subequo) war Adjutant, befehligte als Praefekt eine Kavallerieeinheit, diente anschließend als ritterlicher Militärtribun im Stab einer Legion. Er wechselte dann in die Zivilkarriere. Er wurde Leiter der Finanzverwaltung in drei verschiedenen Provinzen: Raetien, Spanien und Syrien. Nach seinem Ausscheiden aus dem kaiserlichen Dienst war er dreimal Bürgermeister seiner Heimatgemeinde. Ebenfalls aus dem Paelignerland stammte Sex. Pedius Lusianus Hirrutus. Er hatte es bis zum ranghöchsten Berufsoffizier der XXI. Legion gebracht und war dann als ritterlicher Praefekt zum Statthalter von Raetien aufgestiegen. Danach bekleidete auch er hohe Ämter in seiner Heimatgemeinde. Er war vermögend geworden und schenkte der Stadt ein Amphitheater. Die beiden Stände der Reichsaristokratie und die städtischen Eliten (sie hingen oft, wie die erwähnten Beispiele zeigen, aufs engste zusammen) waren keineswegs ausschließlich durch Reichtum oder Geburt bestimmt, sondern mindestens ebenso durch die Bekleidung öffentlicher Funktionen auf den Ebenen des römischen Staates, der Reichsadministration und der städtischen Selbstverwaltung.

V. Die Krise des 3. Jahrhunderts

Augustus hatte die Armee diszipliniert und zu einem Instrument der äußeren und inneren Friedenssicherung gemacht. Aber dieses Instrument blieb gefährlich. Schon unmittelbar nach Augustus' Tod hatte sich die Unzufriedenheit der Soldaten mit der Dauer und den harten Bedingungen des Militärdienstes in Revolten an Rhein und Donau entladen. Augustus' Nachfolger, Kaiser Tiberius, verglich seine Lage mit der eines Mannes, der einen Wolf an den Ohren festhalten müsse. Nach dem Ende der Julisch-Claudischen Dynastie und nach der Ermordung des Commodus zerfiel die Armee wieder in rivalisierende Bürgerkriegsheere. Septimius Severus, der aus dem Fünfkaiserjahr 193 als Sieger hervorgegangen war, zog die Konsequenz und riet seinen Söhnen: „Seid einig, bereichert die Soldaten, alle übrigen könnt ihr vergessen" (Cassius Dio 76,15,2).

Abgesehen davon, daß die Mahnung zur Einigkeit in den Wind gesprochen war: Die Maxime des Septimius Severus zerstörte das Gleichgewicht zwischen dem zivilen Charakter und der militärischen Machtgrundlage des Kaisertums. Weder das soldatenfreundliche Terrorregiment des Caracalla (211–217) noch die an den rechtsstaatlichen Idealen des Adoptivkaisertums orientierte Regierung des Severus Alexander (222–235) konnte verhindern, daß sie eines gewaltsamen Todes starben. Der eine fiel der Furcht seiner Umgebung, der andere dem Unwillen der Armee zum Opfer. Mit Kaiser Maximinus Thrax (235–238) begann das Säbelregiment der sog. Soldatenkaiser. Bis 285 riß die Kette der Usurpationen und Bürgerkriege nicht mehr ab. Die Kaiser und Gegenkaiser entstammten meist weder der Reichsaristokratie noch der Oberschicht der urbanisierten Kernräume des Römischen Reiches. Sie waren Berufssoldaten, und ihre Heimat waren vor allem die ländlichen Rekrutierungsgebiete des Balkans.

Der Verlust der Stabilität

Daß das Kaisertum nach dem Ende der Severischen Dynastie seine stabilisierende Kraft für ein halbes Jahrhundert nicht zurückgewinnen konnte, hängt in erster Linie mit der Verschlechterung der äußeren Lage des Reiches zusammen. Rom hatte keine Möglichkeit, die Völkerverschiebungen in der Tiefe des eurasischen Raumes zu kontrollieren, und es konnte dem Druck auf alle Grenzen nicht standhalten.

Um 200 hatten die nach Westen ziehenden mongolischen Hunnen den Raum zwischen Kaspischem Meer, dem Ob, der Wolga und den iranischen Randgebirgen erreicht. Die Gegenbewegung von West nach Ost wurde von den Ostgermanen, insbesondere von den Goten, getragen. Sie bereiteten dem Bosporanischen Reich, dem alten römischen Klientelstaat auf der Krim und am Asowschen Meer, ein Ende. Andere germanische Stämme wie die Quaden und Vandalen erreichten den Karpatenbogen und traten ebenso wie die Goten in engen Kontakt zu den in den Ebenen ansässigen Reitervölkern. An der mittleren Donau bildeten die Markomannen ein gefährliches Potential, und am Rhein schlossen sich die Westgermanen, die bis dahin in zahlreiche Stämme aufgespalten waren, zu größeren, locker organisierten Stammesverbänden zusammmen: Alamannen, Franken und Sachsen. Gegen die Markomannen und andere Stämme an der mittleren Donau hatte bereits Marc Aurel gekämpft. Aber gebrochen hatte er ihre Kraft nicht. Im Gegenteil: Zusammmen mit den indo-iranischen Stämmen, den Jazygen, Roxolanen, Sarmaten und Dakern, stellten sie im 3. Jh. eine größere Bedrohung als im 2. dar. Im Osten begründete Ardaschir aus der Dynastie der Sassaniden das Neupersische Reich (224–241). Er knüpfte an das Vorbild des alten Perserreichs der Achämeniden an, stützte den Anspruch universaler Herrschaft auf eine erhöhte militärische Schlagkraft und sicherte die Einheit des Reiches ideologisch durch eine auf die Lehren des Zoroaster gegründete Staatsreligion. Dem Römischen Reich war ein neuer gefährlicher Gegner entstanden.

Dem Druck auf alle Grenzen war die römische Abwehr

nicht gewachsen. Nicht nur an Rhein, Donau und Euphrat kam es zu tiefen Einbrüchen in das Innere des Reiches. Auch Ägypten, der syrisch-arabische Wüstensaum und die ausgedehnten Grenzräume in Nordafrika waren vor Plünderungszügen nicht mehr sicher. Um die Mitte des 3. Jhs. stand das Reich am Rande des Abgrunds. Zwischen 250 und 275 wurde der Karpatenbogen, die Provinz Dacia, geräumt und die Zivilbevölkerung evakuiert. Am Rhein mußte um 260 der obergermanisch-rätische Limes aufgegeben werden. Gallien, teilweise auch Spanien und Italien wurden von großangelegten germanischen Plünderungszügen heimgesucht. Das gleiche Schicksal erlitten die Balkanhalbinsel und Kleinasien. Athen, Eleusis, Olympia, Trapezunt und andere Städte wurden von Germanen eingenommen und geplündert. An der unteren Donau fiel Kaiser Decius 251 im Kampf gegen die Goten. Etwa zur gleichen Zeit begann Schapur I. (241–272), der bedeutende zweite Herrscher des Neupersischen Reiches, die Offensive gegen Rom. 260 geriet Kaiser Valerian in persische Gefangenschaft.

Eine Folge der kritischen Lage des Reiches war die Verlagerung des politisch-militärischen Schwergewichts an die Peripherie. Das leistete der Erhebung zahlreicher Kaiser und Gegenkaiser Vorschub. Die großen Militärverbände an Rhein, Donau und Euphrat wollten ihre Heimatprovinzen verteidigen. Gegen Abkommandierungen in entfernte Regionen bestand eine tiefe Abneigung. Eine zentrale Planung der Verteidigung war deshalb fast unmöglich. Der Tiefstand wurde unter Kaiser Gallienus (253–268) erreicht. In Gallien bildete sich 259 das Sonderreich des Postumus, im Osten wurde Odaenathus, der Stadtherr von Palmyra, einer bedeutenden Karawanenstation zwischen Euphrat und Syrien, von Gallienus zum Administrator des gesamten Orients ernannt. Nach dessen Tod machte sich seine Witwe Zenobia sogar zur Kaiserin. Aber obwohl Gallienus den Osten und den Westen sich selbst überlassen mußte, schuf er doch in Gestalt einer mobilen, in Norditalien stationierten Armee mit starken Reiterverbänden das militärische Instrument, mit dem Kaiser Aurelian die Reichseinheit 273 wiederherstellte. Rom kam zugute, daß die Angriffe seiner

Gegner nicht koordiniert waren. Sie waren auch nicht von dem Willen getragen, das Reich zu zerstören. Sie glichen großen Plünderungszügen. Immerhin brachten sie Rom an die Grenze einer Katastrophe. Wenngleich die Sonderreiche wieder beseitigt werden konnten: Die geräumten Außenposten waren endgültig verloren.

Schlimmer als die territorialen Verluste waren die Verwüstungen, der Raubbau an den Ressourcen und der Zusammenbruch des Währungssystems. Kaiser Septimius Severus begann mit der Einziehung einer Naturalsteuer, die für die Versorgung der Armee bestimmt war, Caracalla dehnte 212 das römische Bürgerrecht auf fast die gesamte Reichsbevölkerung aus, um den Personenkreis zu vergrößern, der die spezielle, römischen Bürgern auferlegte Erbschaftssteuer zu zahlen hatte. Vor allem wurde der Silbergehalt des Denars vermindert: von 85 auf 75 % durch Marc Aurel, auf 50 % durch Septimius Severus. Caracalla schuf eine neue Münze, einen Doppeldenar, dessen Silbergehalt praktisch um weitere 35 % vermindert war. Unter Gallienus enthielten die massenhaft geprägten Doppeldenare nur noch 2 % Silber. Dann wollte Kaiser Aurelian das Finanzmanöver Caracallas wiederholen, indem er eine Münze mit dünnem Silberüberzug prägen ließ, die 5 Denare wert sein sollte. Der Denar wurde so zu einer Kreditmünze entwertet. Die Folge dieser Geldverschlechterung, die mit einer Aufblähung der Geldmenge einherging, war ein starker Preisanstieg, die Entwertung aller hypothekarisch angelegten Gelder sowie der in Geld gezahlten Steuern und Gehälter. Denn um sich einen Vorteil zu verschaffen, hielt der Staat die Fiktion aufrecht, daß der Wert des schlechten neuen Geldes dem des guten alten entspreche. Da aber die Marktpreise stark anstiegen, war er zugleich genötigt, seinen Bedarf durch das Institut des Zwangsverkaufs, bei dem der vom Staat gezahlte Preis weit unter dem Marktwert der betreffenden Güter lag, sowie durch Naturalabgaben und Requirierungen zu decken. Die Bezahlung der Armee wurde so geregelt, daß die Versorgung mit Nahrungsmitteln und Kleidung den Soldaten zu vorinflationären Preisen berechnet wurde und die verbleibenden Geldzahlungen zu einem großen Teil durch Naturalien abgegolten wurden. Die Folge war, daß der Inflationsdruck noch zusätzlich verstärkt wurde. Denn ein erheblicher Teil aller Transaktionen des Staates erfolgte auf naturalwirtschaftlicher Grundlage, und die stark angeschwollene Geldmenge stand einem zusätzlich reduzierten Warengebot gegenüber. Der Geldwirtschaft wurde schwerer Schaden zugefügt, und eine Rückentwicklung zu Formen der Naturalwirtschaft ist unverkennbar.

Hinzu kommt, daß die Deckung des staatlichen Bedarfs an Gütern und Dienstleistungen die Bevölkerung des Reiches höchst unterschiedlich traf. Schon wegen der Transportprobleme wurden sie dort eingefordert, wo sie benötigt wurden. Die Steuergerechtigkeit, die das von Augustus eingeführte Steuersystem bewirkt hatte, ging verloren. Auf der einen Seite gab es Raubbau und Überforderung, auf der anderen Seite den Verzicht auf die Ausschöpfung der Steuerkraft. Schlimm war auch, daß die kaiserliche Autorität zusammenbrach und die Soldaten und Funktionäre des Reiches sich nahmen, was sie brauchten oder was sie wollten. Die Hilferufe aus den Provinzen wurden durch Verweis auf den unwirksam gewordenen Rechtsweg beschieden.

Länder, die von Krieg und Truppenbewegungen verschont blieben, scheinen sich eines ungebrochenen Wohlstandes erfreut zu haben. In der gleichen Zeit, in der sich die Hilferufe der gequälten Provinzen mehrten, lebten die Kerngebiete Nordafrikas offenbar in tiefem Frieden, und er ermöglichte bisweilen sogar Angehörigen der Unterschicht die Erlangung von Wohlstand und Ämtern. Voraussetzung dieses sozialen Aufstiegs war die ungestörte Fortdauer des Friedens. Die Einfälle der Barbaren, die Usurpationen und Bürgerkriege, die Plünderungen und Requirierungen sowie die Zerstörung des Geldwertes trafen nicht alle Teile des Reiches und alle Schichten der Bevölkerung gleich schwer. Es gab Zonen des Friedens, in denen das Leben seinen gewohnten Gang ging.

Die religiöse Herausforderung

Wie zur Zeit des Zusammenbruchs der Republik führte der Verlust der Stabilität zu einer Rückbesinnung auf die altüberlieferte Götterverehrung. Die traditionelle Religion war nach verbreiteter Vorstellung integraler Bestandteil der gesellschaftlich-politischen Ordnung, und der peinlich genaue Vollzug der herkömmlichen Riten garantierte die Gunst der Götter und somit den äußeren Erfolg und den inneren Frieden. Umgekehrt bedeutete der Bruch mit der väterlichen Religion Störung des Götterfriedens und Distanzierung von der traditionellen Ordnung. Er führte zu neuen, separaten Gemeinschaften, und diese konnten, mit Hilfe von Magie und Zauberei, zu einer Bedrohung der Alleinherrschaft werden, wenn sich diese Praktiken gegen die geheiligte Person des Kaisers richteten. So war schon seit dem frühen 2. Jh. v. Chr. wiederholt gegen private Religionsgemeinschaften vorgegangen worden, wenn der Verdacht bestand, daß sie die moralische oder die politische Ordnung bedrohten.

Trotzdem hat es dem römischen Staat immer ferngelegen, fremde Kulte generell zu verbieten. Im Gegenteil: Er selbst führte von alters her neue Kulte ein, ob es sich um den des Apollo, den der Großen Göttermutter aus dem kleinasiatischen Pessinus oder um die Verehrung der zum Himmel aufgefahrenen Kaiser handelte. Ebenso bot die Unterscheidung von öffentlicher und privater Gottesverehrung beste Voraussetzungen für die Ausbreitung neuer Kulte. Das Römische Reich vereinte zahlreiche Völker und Gemeinden, und sie alle besaßen ihre traditionellen Religionen. Und schließlich: Wenn alle Einwohner des Reiches römische Bürger waren, mußten dann nicht alle im Reich verehrten Götter anerkannt werden? Der herrschende Polytheismus war ja insofern tolerant, als er von der Göttlichkeit aller verehrten Gottheiten ausging. Ohnehin war es üblich, im Unbekannten das Bekannte zu sehen. So konnten beispielsweise Apollo, der syrische Baal von Emesa oder der ursprünglich iranische Gott Mithras mit dem Sonnengott gleichgesetzt werden, und diesem Sonnengott widmete Kaiser

Aurelian (270–275) einen Reichskult, der die bunte Götterwelt nicht zu verdrängen, sondern in einer höheren Einheit zusammenzufassen bestimmt war. Die Theologie des sog. Neuplatonismus gab diesem Konzept, das über das bloße Beharren auf einer partikularen Staatsreligion hinausführte, einen Rückhalt in der bedeutendsten geistigen Strömung der Epoche.

Die Rückbesinnung auf die Religion als die Grundlage des menschlichen Daseins führte somit nicht zu einer Konfrontation zwischen der überlieferten römischen Staatsreligion und dem Kosmos der übrigen polytheistischen Kulte. Was eintrat, war ein prinzipieller Konflikt mit dem Christentum, und dieser Konflikt schlug sich unter den Kaisern Decius (249–251) und Valerian (253–260) in dem Versuch nieder, die neue Religion durch Verfolgung ihrer Anhänger auszulöschen. Das Christentum war aus dem Judentum entstanden, und obwohl es sich von der Mutterreligion längst gelöst hatte, teilte es mit ihr den Glauben an den einen allmächtigen Gott, der keine Götter neben sich duldete. Damit war dem antiken Polytheismus der Fehdehandschuh hingeworfen. Dennoch befand sich das Christentum in einer anderen Lage als das Judentum. Dieses genoß den Schutz des Staates, jenes war prinzipiell verboten, und im 3. Jh. gab die Staatsgewalt ihre frühere Zurückhaltung auf: Zum Verbot trat die Verfolgung von Staats wegen.

Im Unterschied zum Christentum war die jüdische Religion nicht nur alt: Sie war mit der Lebensordnung eines bestimmten Volkes auf das engste verbunden. Insofern entsprach sie, bei allen Unterschieden, dem Grundmuster der antiken Religionen: Sie war traditionell, sie war einem Volk eigentümlich, und sie war, als die Römer ihre Herrschaft im Vorderen Orient etablierten, eine Opferreligion, die ihren Mittelpunkt in dem zentralen Heiligtum von Jerusalem hatte. Freilich lebten die Juden nicht nur in Palästina, sondern auch in einer Diaspora, die vom Iran bis nach Griechenland und Rom reichte. Aber es war dafür gesorgt, daß sie, soweit dies außerhalb ihres Heiligen Landes möglich war, nach ihrem Religionsgesetz in eigenen Gemeinschaften leben konnten. Diesen Zustand fanden die Römer vor, und sie sahen keinen Grund, ihn zu ändern. Aber weder die Einsetzung von Königen oder Fürsten aus dem Hause des Herodes (37 v. – 4 n. Chr.) noch die Unterstellung Judäas unter direkte römische Oberherrschaft konnten verhindern, daß es unter den Juden gärte, daß es zu großen Aufständen in Palästina und in der Diaspora kam, daß 70 der Tempel zerstört wurde und das Judentum damit aus der Zahl der Opferreligionen ausschied und dem Volk ein großer Teil des Heiligen Landes verlorenging. Unter Führung seiner Schriftgelehrten paßten sich die Juden an die neue Lage an. Obwohl die Aufstände mit brutaler Härte niedergeschlagen wurden, boten die Römer doch die Hand dazu, daß die jüdische Religion weiterhin unter dem Schutz des Staates ausgeübt werden konnte.

Die Unruhen und Aufstände, die zur Katastrophe des jüdischen Volkes im Heiligen Land führten, waren eine Reaktion auf Fremdherrschaft, auf Steuerdruck und auf Konflikte mit der heidnisch-hellenistischen Bevölkerung Palästinas sowie auf Mißgriffe der römischen Statthalter. Aber diese Reaktion geschah vor dem Hintergrund der religiös-politischen Erwartung eines Retters, der das Joch der Heiden zerbrechen und die Herrschaft des Gottesvolkes aufrichten würde. Aus dieser Erwartung sind höchst unterschiedliche Konsequenzen gezogen worden. Die sog. Zeloten (Eiferer) waren willens, mit der Waffe in der Hand und mit den Mitteln des Terrors den großen Endkampf zwischen dem satanischen Reich der Römer und dem Reich Gottes herbeizuzwingen. Andere warteten ab und bereiteten sich in kleinen gesonderten Gemeinschaften durch Heiligung der Lebensführung auf den Tag der Entscheidung vor, wieder andere wandten sich an alle Juden und forderten in Erwartung der bevorstehenden Ankunft des Gottesreiches zur inneren Umkehr auf. Es war eine fiebergeschüttelte Gesellschaft, aus der die Kampfbereitschaft der Zeloten, der Heilige Bund der Essener, die Bußbewegung Johannes des Täufers und die Predigt Jesu hervorgingen. Angesichts der gärenden Unruhe im Lande wuchs die römische Neigung zu präventiver Gewaltanwendung. Nicht nur die selbsternannten Könige der Juden, die sich an der Spitze ihrer Anhänger der Heiligen Stadt und des Heiligen Landes bemächtigen wollten, fanden den Tod von der Hand der Römer: Auch Johannes der Täufer und Jesus von Nazareth wurden als Unruhestifter hingerichtet. Für seine Anhänger aber war der gekreuzigte Jesus, und nicht die falschen Propheten und messianischen Könige der Aufstandsbewegungen, der am Ende aller Tage erwartete Erlöser. So sind aus der Wurzel des Messianismus so verschiedene Phänomene wie die großen jüdischen Aufstände und die neue Religion des Christentums hervorgegangen.

Freilich: Damit das Christentum sich zu einer neuen Religion entwickeln konnte, mußte es sich von dem Boden des Judentums lösen. Dies geschah, als sich herausstellte, daß nicht nur die geistlich-weltliche Führungsschicht, sondern auch die überwältigende Mehrheit des Volkes sich der Anerkennung der Messianität Jesu verschloß. Die Heidenmission des Apostels Paulus begann dort, wo die jüdische Diaspora vorgearbeitet hatte. Es gab im Umkreis der Synagogengemeinschaften interessierte und der jüdischen Religion gegenüber aufgeschlossene Heiden, die sog. Gottfürchtigen. Aus ihnen rekrutieren sich die ersten heidenchristlichen Gemeinden. Aufgegeben wurden Beschneidung und Religionsgesetze, aber an den ethischen Geboten des Gesetzes wurde, in eigentümlich radikalisierter Form, festgehalten, und in den Mittelpunkt des Gemeindelebens rückte die Verkündigung der Göttlichkeit Christi.

Es ist leicht einzusehen, daß die neue Religion, die sich in der heidnischen Welt auf Kosten der alten ausbreitete und deren Lebensrecht bestritt, zu schweren Irritationen führte. Für das nördliche Kleinasien ist bereits zu Beginn des 2. Jhs. bezeugt, daß die Tempel verödeten und das Opferfleisch keine Abnehmer mehr fand. Mit dem Eifer von Renegaten griffen christliche Intellektuelle das Heidentum an, und umgekehrt boten sich den erbosten Heiden die gottlosen Christen als Sündenböcke bei Seuchen, Naturkatastrophen und Feuersbrünsten an. Ja, als Feinde des Menschengeschlechts standen sie unter dem Verdacht geheimer Ritualverbrechen. Kaiser Nero scheute sich 64 nicht, sie als Brandstifter zu verfolgen, um den Verdacht von sich abzulenken, daß er Rom in Brand gesteckt habe. Als sich die Haltlosigkeit dieser und anderer Unterstellungen erwiesen hatte, suchte die kaiserliche Gewalt nach einem Weg, die unruhestiftende neue Religion einzudämmen und doch eine Verfolgung von Staats wegen zu vermeiden. Kaiser Trajan ordnete an, daß nach Christen weder gefahndet noch anonyme Anzeigen angenommen werden dürften. Nur wenn ordnungsgemäß Anklage gegen sie erhoben wurde und sie es ablehnten, sich durch ein Opfer Straflosigkeit zu erkaufen, sollten sie bestraft werden. Damit waren die Christen unter ein Ausnahmerecht gestellt. Der Kaiser nahm Rücksicht auf das Ressentiment der gereizten Mehrheit, aber er baute den Christen zugleich eine goldene Brücke zur Straflosigkeit. Er verschloß, wie sein christlicher Kritiker Tertullian sagt, die Augen, und zugleich blieb er wachsam. Es kam zu einzelnen Verurteilungen, aber im Ganzen begünstigte die Regelung Trajans die Ausbreitung der neuen Religion.

Unter dem Druck der über das Reich im 3. Jh. hereinbrechenden Katastrophen gingen die Kaiser Decius und Valerian zu aktiver Verfolgung über. Decius befahl allen Reichsbewohnern mit Ausnahme der Juden, für das Wohl von Kaiser und Reich zu opfern und sich eine Bescheinigung über den Vollzug des Opfers ausstellen zu lassen. Das konnte sich nach Lage der Dinge nur gegen die Christen richten, und bei Opferverweigerung ist gegen sie denn auch vorgegangen worden. Dann änderte Kaiser Valerian die Taktik der Verfolgung: Er forderte von Klerikern, Senatoren, Rittern, hohen Funktionären und Frauen der Aristokratie, zu opfern, und drohte im Weigerungsfall Todesstrafe, Vermögenseinzug oder Verbannung und Zwangsarbeit an. Gottesdienstliche Versammlungen und Besuch der christlichen Friedhöfe wurden bei Todesstrafe verboten.

Die Katastrophen der Verfolger – Decius fiel im Kampf gegen die Goten, Valerian geriet in persische Gefangenschaft – beendeten die Verfolgungen. Aber der Kampf war nur aufgeschoben und nicht aufgehoben.

VI. Das Reich der Spätantike

Als Diokletian 285 zur Alleinherrschaft gelangte, stand er wie seine Vorgänger vor großen ungelösten Problemen: Die Grenzen mußten gesichert, das Kaisertum wieder zum Garanten der inneren Stabilität gemacht, das Steuer- und Abgabensystem reformiert, die Währung wieder auf eine feste Grundlage gestellt und eine Antwort auf die religiöse Herausforderung gefunden werden. Kaiser Diokletian nahm alle diese Aufgaben in Angriff, aber eine Lösung wurde erst von Konstantin dem Großen gefunden. Er ist der eigentliche Schöpfer des spätantiken Reiches. An geschichtlicher Wirkungsmächtigkeit kann mit ihm nur Kaiser Augustus verglichen werden.

Die Reformen Diokletians und Konstantins

Es war die Erfahrung der Soldatenkaiserzeit, daß der Abwehrkampf an vielen Fronten Usurpationen der Kaiserwürde begünstigte. Die Folgen waren Bürgerkrieg, Schwächung der Verteidigung nach außen und, unter Umständen, der Verlust der Reichseinheit. Diokletians Antwort auf das Chaos einander bekämpfender Kaiser war die Idee des Kaiserkollegiums. Die Einigkeit dieses Kollegiums hing freilich davon ab, daß dem Schöpfer des Systems von seiten der Kollegen unbedingte Loyalität entgegengebracht wurde. Die sog. Tetrarchie (Viererherrschaft) nahm zwischen 285 und 293 Gestalt an. Sie war aus der Notwendigkeit der Arbeitsteilung entstanden. Die einzelnen Teilkaiser waren für bestimmte Teile des Reiches zuständig: Diokletian für den Osten und die Euphratgrenze, Galerius für den Balkan und die untere Donau, Maximian für Italien, Nordafrika und die obere Donau sowie Konstantius I. für den Westen mit Gallien und der Rheingrenze. Alle Kaiser entstammten dem illyrisch-pannonischen Offizierskorps. Innerhalb des Kollegiums erfolgte eine hierarchische Zweiteilung: Die *Augusti* (Diokletian und Maximian) waren den *Caesares* (Galerius und Konstantius) übergeordnet, und diese waren zu präsumptiven Nachfolgern der *Augusti* designiert. Der besondere Rang Diokletians beruhte auf seiner Autorität, und er kam formell in dem Vorrecht zum Ausdruck, Gesetze mit allgemeiner Verbindlichkeit zu geben. Religiös fand Diokletians Vorrangstellung ihren Niederschlag in der Zuordnung seiner Person zu Jupiter, dem höchsten Gott des römischen Staatskultes, während Maximian sich Hercules zum Schutzgott wählte. Dieses System bewährte seine stabilisierende Kraft, solange Diokletian an seiner Spitze stand. Als er 305 zusammen mit Maximian zurücktrat, führte die Mißachtung des dynastischen Prinzips zu einer neuen Phase der Instabilität und des Bürgerkriegs. Ihr definitives Ende fand sie erst 324, als Konstantin der Große, der Sohn Konstantius' I., die Alleinherrschaft gewann. Er verband das System des Kaiserkollegiums mit dem dynastischen Prinzip, indem er seine Söhne zu Mitkaisern und Nachfolgern erhob. In dieser Form war die Institution des Kaiserkollegiums bis zum Ende der Theodosianischen Dynastie (450 im Osten, 455 im Westen) die Gewähr einer relativen Stabilität im Inneren. Usurpationen waren möglich, aber sie gewannen nicht mehr die gefährlichen Ausmaße wie in der Zeit der Soldatenkaiser.

Erfolge errang Diokletian auch bei der Sicherung der Reichsgrenzen. Hier zeigte sich, daß Gallienus mit der Schaffung einer mobilen Armee und Aurelian mit der Beseitigung der Sonderreiche im Osten und Westen wichtige Voraussetzungen für die Stabilisierung des Reiches geschaffen hatten. Diese Voraussetzungen wurden freilich insoweit wieder in Frage gestellt, als Diokletian zu dem alten starren System der Grenzverteidigung zurückkehrte. In der Bürgerkriegsphase nach 306 mobilisierte Kaiser Konstantin von neuem Teile der Armee. Er wurde dadurch zum eigentlichen Schöpfer des spätrömischen Bewegungsheeres. Im 4. Jh. betrug seine numerische Stärke rd. 220000 Mann. Von Heermeistern (*magistri militum*) befehligt, bildete es in den verschiedenen Reichsteilen eine starke Eingreifreserve. Die Masse der Armee, mehr als 400000 Mann, blieb auch weiterhin in den Grenzzonen stationiert. Die Grenztruppen unterstanden Abschnittskommandeuren (*duces*). Diese neue Armee der Spätantike war um ein gutes Drittel stärker als die der severischen Zeit, und sie war auch durch die Mobilisierung eines Drittels ihrer Mannschaftsstärke den strategischen Gegebenheiten des Reiches besser angepaßt als das Heer der Prinzipatszeit. Im 4. Jh. war sie nicht nur in der Lage, die Grenzen zu schützen, sie war auch zu begrenzten Gegenschlägen und, wie der Perserfeldzug Kaiser Julians (363) zeigt, auch noch zu größeren Offensiven fähig.

Zur Bestreitung der Ausgaben für die vergrößerte Armee mußte das völlig zerrüttete Steuer- und Abgabensystem reformiert werden, und nicht zuletzt im Interesse der Sold- und Gehaltsempfänger war es notwendig, auch das Währungssystem wieder auf eine tragfähige Grundlage zu stellen. Letzteres gelang Diokletian freilich nicht. Erst Konstantin war es möglich, mit der Einführung einer neuen Goldmünze, des *Solidus*, die Grundlagen für eine partielle monetäre Gesundung zu legen.

Besseren Erfolg hatte Diokletians Reform des Systems der Naturalabgaben und Dienstleistungen. Unter ihm wurde mit der Neubildung von Steuereinheiten begonnen, in denen Land und Arbeitskräfte, menschliche und tierische, zusammen veranlagt wurden. Die neue Ordnung, die übrigens an die unterschiedlichen Traditionen der im Römischen Reich angewendeten Steuersysteme anknüpfte, brachte im Vergleich zu der unter den Soldatenkaisern eingerissenen Willkür nicht nur ein höheres Maß an Steuergerechtigkeit: Es schöpfte auch die vorhandene Steuerkraft besser und gleichmäßiger aus. Vor allem aber: Das neue System erlaubte, den Bedarf der Armee, der Administration und der kaiserlichen Regierungszentralen zur Kalkulationsgrundlage der Abgabenforderung zu machen. Das aber erleichterte und begünstigte das Anziehen der Steuerschraube.

Magistrate und Stadträte der Gemeinden blieben für die Verteilung der Lasten auf die Steuerpflichtigen, für die Einziehung der Abgaben und für die Organisation der geforderten Arbeitsleistungen zuständig. Die Reichsadministration hatte das Steuer- und Abgabensystem zu organisieren und zu kontrollieren, und sie verband mit dieser Aufgabe Rechtsprechung und Polizeifunktion. Damit die Statthalter beiden Aufgabenbereichen gerecht werden konnten, genügte es nicht, daß ihre Stäbe vergrößert und neu organisiert wurden. Die Provinzen mußten erheblich verkleinert werden. Ihre Zahl stieg von rund 50 auf über 100. Auch Italien, das in einem Reich römischer Bürger nicht länger eine Sonderstellung innehaben konnte, wurde in die provinziale Gliederung einbezogen. Die große Zahl der Provinzen und die Größe des Reiches ließen zwei übergeordnete Verwaltungsebenen entstehen: die Zwischeninstanzen der Vikariate und, als oberste Instanz, die Praetorianerpraefekturen. Sie stellten die Spitze der Verwaltung dar, und ihre Zuständigkeit erstreckte sich auf drei bzw. auf vier große Sprengel des Reiches: Gallien (und den Westen), Italien, Nordafrika sowie die Provinzen an der oberen und mittleren Donau, der Balkanraum (mit Ausnahme des Vikariats Thracia) sowie die große Praefektur des Orients (von der unteren Donau bis zur Kyrenaika).

Eine weitere Folge dieser Neuerungen war, daß der aus republikanischer Zeit stammende Verbund von Ziviladministration und militärischer Kommandogewalt, von einigen Ausnahmen abgesehen, aufgelöst wurde. Die Praetorianerpraefekten des spätantiken Verwaltungsstaates gewannen damit eine andere Funktion als ihre Vorgänger in der Zeit des Prinzipats. Sie waren nicht länger Stabschefs und Gardekommandeure, und sie fungierten auch nicht mehr am Hofe des Kaisers als dessen Stellvertreter bei der Rechtsprechung. Sie wurden Chefs der obersten Verwaltungsebene unterhalb der kaiserlichen Zentralregierung. Am Hof der einzelnen Teilkaiser liefen die getrennten Stränge der militärischen Kommandogewalt und der Zivilverwaltung wieder zusammen. Besonderes Gewicht gewann hier neben den Heermeistern der Chef der zentralen Bürostäbe (*magister officiorum*).

Das bürokratische System des spätrömischen Reiches hat in neuerer Zeit Begriff und Vorstellung eines spätantiken Zwangsstaats hervorgebracht, und fraglos drängt sich aus der Flut kaiserlicher Verordnungen der Eindruck auf, daß die zurückhaltende, an dem Gesichtspunkt vorsichtiger Weiterbildung des Bestehenden orientierte Regierungspraxis der Prinzipatszeit von der Neigung, alle Lebensbereiche mit Ermahnung und Sanktionen zu reglementieren, abgelöst wurde. Aber schon die häufige Wiederholung gleicher oder ähnlicher Vorschriften, die Brutalität der Strafandrohungen und die Aufdringlichkeit moralischer Belehrung weisen auf die andere Seite des Phänomens: Die Durchsetzungsfähigkeit der Staatsgewalt entsprach nicht ihrem Reglementierungswillen.

Der Grund für dieses Mißverhältnis lag zum Teil in der Größe des Reiches und in der Mühseligkeit der Kommunikationswege: Eine lückenlose Kontrolle war nicht möglich, und mit der Durchschlagskraft staatlicher Anordnungen stand es schon deshalb nicht zum besten. Hinzu kommt, daß die Gesellschaft des Römischen Reiches ständisch gegliedert war und ihre Oberschicht aus konkurrierenden Funktionseliten bestand. Zugehörigkeit zum Senatorenstand und die Bekleidung von Ämtern im kaiserlichen Dienst schlossen die Wahrnehmung der dem Ratsherrenstand der Städte zugewiesenen Aufgaben aus. Hier eröffnete sich ein Zielkonflikt, den die kaiserliche Regierung nicht mehr auflösen konnte, und obwohl von staatlicher Seite erhebliche Anstrengungen unternommen wurden, im Interesse des fiskalischen Leistungssystems die Stellung, die der einzelne im Gefüge der Gesellschaft einnahm, festzuschreiben, war die soziale Wirklichkeit von einem hohen Maß an Mobilität bestimmt. Das Kaisertum trug selbst zu dieser Entwicklung bei. Seit Konstantin wurde der Kreis der Funktionsträger und der Privilegierten, die mit einem senatorischen Rang ausgezeichnet wurden, zunehmend weiter gezogen. Schließlich bildete sich aus großen Grundherren, Militärbefehlshabern und – in christlicher Zeit – Bischöfen eine Schicht von Mächtigen, die unter Umständen Kleinbauern, Pächter und Stadtvolk vor administrativem Zugriff zu schützen willens und fähig war. Das bürokratisch-fiskalische System des spätantiken Staates wurde durch solche gesellschaftlichen Entwicklungen und Widersprüche nicht aufgehoben, wohl aber in seiner Durchschlagskraft erheblich gehemmt.

Das christliche Imperium

Die Verfolgungen des Christentums, die um die Mitte des
3. Jhs. von den Kaisern Decius und Valerian angeordnet worden waren, blieben kurze Episoden. Erst Diokletian gewann
infolge der äußeren und inneren Stabilisierung des Reiches den
notwendigen Spielraum, um den Kampf wiederaufzunehmen.
Diokletian war von der Unvereinbarkeit von Christentum und
römischer Lebensordnung zutiefst überzeugt. Dementsprechend ging er gegen das Christentum vor. Seine Maßnahmen
steigerten sich von der Entfernung der Christen aus Armee und
kaiserlichem Dienst bis zur blutigen Verfolgung (303–304). Im
Osten des Reiches, wo die neue Religion am stärksten verbreitet war, wurde die Verfolgung von Galerius, dem Nachfolger
Diokletians, nachdrücklich fortgesetzt, während die Kaiser im
Westen sie schon zwei Jahre nach ihrem Beginn wieder einstell-
ten (sie war hier ohnehin unblutig verlaufen). An der Schwelle
des Todes resignierte auch Galerius. In seinem Toleranzedikt
vom 30. 4. 311 bekannte er sich noch einmal zu dem religiösen
Motiv der Verfolgung, gestand jedoch ihr Scheitern ein und ge-
währte den Christen Duldung. Wenn schon das Christentum
nicht mehr beseitigt werden konnte, sollte doch wenigstens der
innere Frieden des Reiches wiederhergestellt werden. Im Osten
gab sich die heidnische Führungsschicht der Städte damit allerdings nicht zufrieden, und der Nachfolger des Galerius, Maximinus Daia, gab ihrem Drängen nach einer Wiederaufnahme
der Verfolgung statt.

Die entscheidende Wende ging von Kaiser Konstantin aus,
der 312 im Bürgerkrieg mit Maxentius die Herrschaft über den
gesamten Westen des Reiches gewann. Am Vorabend des Ent-
scheidungskampfes gegen Maximinus Daia vereinbarte er mit
seinem Mitkaiser Licinius, daß das Christentum Gleichberechtigung mit den übrigen Religionen genießen solle. Das ging
über die widerwillige Duldung weit hinaus, die Galerius gewährt hatte, und ordnete die neue Religion in das dem Polytheismus vertraute Konzept ein, wonach alle Götter Erschei-
nungsformen der einen höchsten Gottheit seien. Aber eine ein-

seitige Bevorzugung des Christentums lag darin an sich noch nicht, während andererseits auch klar ist, daß die neue Religion von ihren Voraussetzungen her sich mit einer bloßen Gleichstellung mit dem sog. Dämonenglauben des Heidentums letztlich nicht zufriedengeben konnte. Im Gegensatz zu Licinius aber ging Konstantin so weit, daß er allein den Christengott mit der höchsten Gottheit gleichsetzte.

Das Bündnis, das Kaiser und Kirche eingingen, war für beide Seiten und für das gesamte Reich von einschneidender Bedeutung. Die Kirche gewann Sicherheit vor Verfolgung, sie wurde materiell gefördert, und sie widerstand ihrerseits nicht der Versuchung, sich des weltlichen Arms gegen Heiden, Ketzer und Schismatiker zu bedienen. Die Kehrseite dieser Privilegierung war ein Verlust an innerer Autonomie. Nicht nur, daß die Kaiser mitbestimmten, wer Kleriker werden durfte: Sie sprachen auch ein gewichtiges Wort bei der Ausgestaltung des Dogmas im 4. und 5. Jh. mit. Das christliche Kaisertum gewann durch die Verehrung der Christen stärker an sakraler Weihe, als es durch die Einstellung der heidnischen Kaiseropfer verlor. Der rechtgläubige Kaiser beanspruchte und erhielt Macht über die Seelen der Menschen. Aber er wurde auch in die Glaubenskämpfe der Zeit verwickelt, und er beförderte durch seine Parteinahme die innere Zerrissenheit einer religiös gespaltenen Gesellschaft. Die Kirche gewann Anteil an der weltlichen Macht, und umgekehrt wurde das Kaisertum bestimmend für die Entwicklung der Kirche. Letztendlich setzte der Kaiser durch, was alle Völker zu glauben hatten, und er nahm Einfluß auf die dogmatischen Streitigkeiten über das Verhältnis von Vater, Sohn und Heiligem Geist oder über das Verhältnis zwischen der göttlichen und menschlichen Natur Jesu.

Religion und Glauben wurden zu einem Hauptthema der Politik. Als Kaiser Julian (361–363) einen letzten Versuch unternahm, das Heidentum als Staatsreligion wiederherzustellen, führte er den Kampf als heidnischer Theologe und Kirchenpolitiker. Er bekämpfte das Christentum in Streitschriften, propagierte in seinen theologischen Traktaten eine aus dem Geist des Neuplatonismus geschöpfte heidnische Glaubenslehre und versuchte, ein heidnisches Gemeindeleben, eine heidnische Kirchenzucht und eine übergreifende Organisation für eine heidnische Kirche zu schaffen. Die in den Schulen gelesenen Werke der klassischen Literatur begriff er als Glaubensschriften, und er verfügte, daß christliche Lehrer diese Literatur an den Schulen nicht interpretieren dürften. Der Kampf gegen das Christentum geschah im Geist und nach dem Vorbild der bekämpften Religion. Julian, der letzte heidnische Kaiser, war ein Kind des Geistes, den er bekämpfte.

Mit der widerwilligen Duldung der heidnischen Kulte machte Kaiser Theodosius (379–395) ein Ende. Der Vollzug heidnischer Opferriten wurde sogar mit den brutalen Strafen belegt, die für magische, gegen die Person des Kaisers gerichtete Praktiken vorgesehen waren. Aber das Heidentum besaß unter gebildeten Angehörigen der Oberschicht und bei der ländlichen Bevölkerung einen starken Rückhalt. Es wurde in den Untergrund gedrängt, und seine Ausrottung zwang die Staatsgewalt und die Kirche zu einem langwierigen Kampf, der auch im 6. Jh. noch nicht beendet war.

Das Judentum blieb auch unter den christlichen Kaisern eine Religion, die prinzipiell den Schutz des Staates genoß. Dennoch wurde die Lage der Juden in Palästina und in der Diaspora zunehmend schwieriger. Seit dem Beginn des 5. Jhs. wurde der Neubau von Synagogen verboten. Ehen zwischen Juden und Christen wurden mit den für Ehebruch vorgesehenen Strafen belegt, und der Übertritt zum Judentum wurde mit einem generellen Verbot belegt. Kaiser Justinian untersagte den Juden, christliche Sklaven zu besitzen. Aus öffentlichen Ämtern wurden sie seit dem 5. Jh. verdrängt. Kaiser Justin (518–527) unterwarf sie den zivilrechtlichen Diskriminierungen, denen bereits Heiden und Häretiker ausgesetzt waren. Seit dem 5. Jh. kam es sporadisch zu gewaltsamen Übergriffen: zu Synagogenzerstörungen und Zwangstaufen. Sie gingen von fanatisierten Teilen der christlichen Bevölkerung und von einzelnen Kirchenfürsten aus. Von Staats wegen wurden sie nicht organisiert. Die Kaiser und die Mehrheit der Bischöfe hielten an dem alten Rechtszustand fest. Dieser sicherte den Juden freie Religionsausübung zu, aber er drückte sie auf den Status von Bürgern zweiter Klasse herab. Der Umstand, daß das Christentum dem bereits bestehenden Antijudaismus eine gewissermaßen theologische Begründung gab, blieb nicht ohne Wirkung. Umgekehrt reagierten auch die Juden auf die Verschlechterung ihrer Lage gelegentlich mit offener Gewalt. In Palästina kam es zu mehreren Aufständen, und als unter den Kaisern Phokas und Heraklius die Perser in das Reich einfielen (nach 602), brannten Juden und Samaritaner Kirchen nieder, plünderten Häuser von Christen und zwangen sie, ihren Glauben zu verleugnen.

Gefährlicher für die innere Einheit des Reiches erwiesen sich die innerchristlichen Glaubensstreitigkeiten. Den spitzfindigen Erörterungen der Theologen über das Verhältnis von Gott Vater, Sohn und Heiligem Geist oder zwischen der göttlichen und menschlichen Natur Jesu verlieh das Erlösungsbedürfnis der christlichen Massen eine ungeahnte Sprengkraft. Es versteht sich von selbst, daß sich massive kirchen- und machtpolitische Interessen in die Austragung der dogmatischen Differenzen einmischten. Die staatliche Politik gegenüber Häretikern und Schismatikern schwankte zwischen Unterdrückungsmaßnahmen und Anwandlungen von Resignation. Am Vorabend der arabischen Invasion (636) war die Atmosphäre durch den Konflikt zwischen Orthodoxen und Monophysiten (sie schrieben Jesu allein eine göttliche Natur zu) gründlich vergiftet, und die Loyalität der monophysitischen Bevölkerungsmehrheit in Ägypten und in Teilen des vorderen Orients war schwer erschüttert.

Im Zeichen des Bündnisses zwischen Kaiser und Kirche machte auch die Angleichung der Kirchenverfassung an die Strukturen des Römischen Reiches Fortschritte. Ohne Einwirkung der kaiserlichen Gewalt hatten sich im 2. Jh. in den Städten die von Bischöfen geleiteten Gemeinden gebildet. Kaiser Konstantin berief 325 zur Beilegung des arianischen Streites – er betraf die Frage des Verhältnisses von Gott Vater und Sohn – das erste Reichskonzil der Bischöfe in das kleinasiatische Nicaea ein. Es traf unter anderem die Bestimmung, daß zweimal im Jahr Provinzialkonzile stattfinden sollten. Die neuen Kirchenprovinzen entsprachen im großen und ganzen den Provinzen der Reichsadministration, und auf dieser Grundlage bildete sich die Metropolitanverfassung der Kirche aus. Ansatzweise entstand in Anlehnung an die Verwaltungsebene der Vikariate eine weitere übergeordnete hierarchische Struktur, in der die Patriarchen von Alexandrien und Antiochien (in Syrien) sowie die Bischöfe von Rom und Karthago eine herausragende Stellung einnahmen. Das zweite Ökumenische Konzil von Konstantinopel (381) bestimmte dann, daß der Patriarch von Konstantinopel den zweiten Ehrenrang hinter dem Papst einnehmen solle. Der sich abzeichnenden Teilung des Reiches in eine Ost- und eine Westhälfte entsprach ansatzweise die organisatorische Struktur der Kirche.

Nach der konstantinischen Wende wurde die Kirche neben Kaiser und Senatsaristokratie zum dritten großen Grundherrn des Reiches. Der hohe Klerus bildete neben den weltlichen Funktionseliten der Städte und der Reichsadministration eine neue Führungsschicht, die aus den Einnahmen der Kirchen besoldet wurde. Kirchliche Organisation und Klerus hatten ihren Preis. Er wurde aus Bodenrenten, Spenden und Staatssubsidien finanziert und fiel weit höher aus als der, der für die heidnischen Kulte hatte bezahlt werden müssen. Das heidnische Tempelland hatte, von Ägypten abgesehen, einen weitaus geringeren Umfang als das Kirchengut, und heidnische Priester übten, wieder von Ägypten abgesehen, in der Regel unbesoldete städtische Kultämter aus. Aber auf der anderen Seite wurde ein erheblicher Teil der ordentlichen Einnahmen der Kirche, etwa ein Viertel, für die Unterhaltung von Witwen und Waisen sowie für die Armen- und Krankenpflege aufgewendet. Hinzu kamen die Spenden und Stiftungen mit entsprechender Zweckbindung. Die Sorge für das Seelenheil und das christliche Liebesgebot bewirkten eine Umverteilung von Mitteln zugunsten der Armen und Schwachen, die auf anderen Motiven als auf aristokratischem Prestigebedürfnis oder auf der Notwendigkeit beruhte, das in großstädtischen Unterschichten angesammelte Unruhepotential zu beschwichtigen.

VII. Die Völkerwanderung

Das Römische Reich ist in den Stürmen der Völkerwanderungszeit allmählich zugrunde gegangen. Der Prozeß der Auflösung begann um 376 mit dem Übertritt germanischer Stammesverbände auf römischen Reichsboden, und er endete mit der arabischen Eroberung des Vorderen Orients und Nordafrikas im 7. Jh. Die Absetzung des letzten weströmischen Kaisers durch einen germanischen Heermeister (476) bedeutete in diesem Prozeß nicht mehr als eine Etappe. Der in Konstantinopel residierende Kaiser konnte seine Herrschaft, von einigen Exklaven abgesehen, nur in Kleinasien und im Süden der Balkanhalbinsel behaupten. Obwohl er den Weltherrschaftsanspruch des römischen Kaisertums aufrecht erhielt, war er tatsächlich nichts anderes als der Herrscher eines partikularen, griechischsprachigen Reiches. Die politische und religiöse Einheit des Mittelmeerraumes zerbrach. Die Araber drangen zu Beginn des 8. Jhs. bis nach Spanien vor. Im Westen bildete sich das Frankenreich, die gemeinsame Wurzel des französischen und des deutschen Königtums, und auch auf dem Balkan entstanden neue partikulare Reiche. Die Trennung zwischen den Kirchen des Ostens und Westens schritt auf organisatorischer Ebene weiter voran, und mit dem Vordringen des Islam verlor das Christentum einen großen Teil seiner alten mediterranen Kernräume.

Die Desintegration des Reiches

Anders als im 3. Jh. waren die Germaneneinfälle an Rhein und Donau nicht mehr großangelegte Plünderungszüge, und nicht mehr in kleinen, kontrollierbaren Gruppen baten sie um Ansiedlung auf römischem Reichsboden. Sie kamen in großen Stammesverbänden, nicht so sehr wegen des Wohlstandsgefälles, das noch immer das Römische Reich von den wenig entwickelten Ländern Mitteleuropas trennte, sondern weil sie selbst die Getriebenen waren. Die Hunnen erreichten im 4. Jh.

das Karpatengebiet, und die Goten und andere ostgermanische Stämme versuchten ihnen auszuweichen. 376 baten die Westgoten an der unteren Donau um Aufnahme im Römischen Reich. Sie wurde gewährt, und alle Dämme brachen. Versorgungsschwierigkeiten und die Korruption der römischen Behörden führten zu einer großen Aufstandsbewegung. Den Goten schlossen sich Gefangene und Bergwerkssklaven an. Kaiser Valens fiel 378 in der Schlacht bei Adrianopel. Erst 382 gelang es Theodosius I., einen Frieden zu schließen, der den Stammesverband der Westgoten als Völkerrechtssubjekt anerkannte und ihn in das Verteidigungssystem an der unteren Donau einbezog. Vorher waren Bündnisse mit Stämmen außerhalb des Reiches zur Kontrolle des Vorfeldes geschlossen worden. Mit dem Frieden von 382 war aus der Methode der Vorfeldversicherung ein Mittel zum Schutz der inneren Verteidigungslinie geworden. Die Folgen sollten sich wenige Jahre später zeigen.

Als Kaiser Theodosius gegen den Usurpator Eugenius – er war von dem germanischen Heermeister Arbogast zum Kaiser des Westens erhoben worden – nach Italien aufbrach, wurde auch ein Kontingent gotischer Bundesgenossen (*foederati*) unter dem Befehl Alarichs aufgeboten. Nach dem Sieg über Eugenius wurden sie 394 zurückgeschickt. Da sie ihre Dienste nicht hinreichend belohnt fanden, begannen sie, den Balkan zu plündern, und bereiteten damit für Hunnen und Markomannen den Weg. Der Reichsfeldherr Stilicho, auch er ein Germane, war wegen des Konflikts, der nach dem Tod des Theodosius (395) zwischen den kaiserlichen Höfen des Ostens und des Westens ausbrach, nicht in der Lage, Alarich zu besiegen und zugleich die territoriale Integrität des Reiches im Westen zu wahren. Er mußte Truppen aus Gallien und Britannien abziehen. 406 fielen Vandalen, Alanen, Sueben und Burgunder in Gallien ein, die Praetorianerpraefektur des Westens wurde von Trier nach Arles verlegt. Britannien blieb sich selbst überlassen, Rom wurde 410 von Alarich eingenommen und geplündert. Die nach Gallien eingebrochenen Germanen nahmen Spanien in Besitz. Die Westgoten zogen 412 nach dem Tod Alarichs im

Dienst des Kaisers Honorius nach Gallien, wo sie schließlich 418 als Foederaten in Aquitanien zwischen Loire und Garonne angesiedelt wurden. Von Spanien aus fielen die Vandalen unter ihrem Führer Geiserich 429 in Nordafrika ein. 10 Jahre später fiel Karthago in ihre Hände. In Gallien besiegte 451 der Reichsfeldherr Aetius mit Hilfe der westgotischen und anderer germanischer Foederaten die Hunnen unter ihrem König Attila in der Schlacht auf den Katalaunischen Feldern. Dennoch schritt die Desintegration des Westreiches weiter fort.

459 nahmen die Franken Köln ein und drangen bis zur Somme vor. Sie beteiligten sich als römische Foederaten am Kampf des Heermeisters Aegidius gegen die Westgoten, aber 475 eroberten diese unter ihrem König Eurich große Teile Südgalliens und Spaniens. Als ein Jahr später das weströmische Kaisertum erlosch, war das Westreich praktisch auf Italien beschränkt, und die Armee hatte sich aufgelöst. Das Gebiet um Soissons, das Syagrius, der Sohn des Heermeisters Aegidius, bis 486/87 behauptete, war völlig isoliert. Der fränkische König Chlodwig bereitete dieser Sonderherrschaft ein Ende.

Mit dem Erlöschen der Theodosianischen Dynastie im Westen (455) blieb das Kaisertum noch 20 Jahre Spielball germanischer Heermeister, bis Odoaker, auch er germanischer Heermeister, den letzten Kaiser, Romulus Augustulus, 476 absetzte und mit einer Pension abfand. Von seinen germanischen Truppen zum König ausgerufen, kontrollierte er im Namen des in Konstantinopel residierenden Kaisers die Gebiete, die noch von der Zentralregierung des Westens aus verwaltet wurden: Es handelte sich fast ausschließlich um das festländische Italien. Sizilien, Sardinien, Korsika und die Balearen hatten die Vandalen erobert. 468 scheiterte eine kombinierte Offensive beider Reichsteile gegen die Vandalen.

Im Gegensatz zum Westen konnte das Ostreich seine territoriale Integrität letztlich wahren. Zwar war der Balkan mehreren germanischen Invasionswellen ausgesetzt. Eine krisenhafte Zuspitzung erfuhr die Lage nach dem Tod des Hunnenkönigs Attila (453), als die Ostgoten auf römischen Reichsboden übertraten und zu einem gefährlichen Unruheherd wurden. Daß eine Katastrophe abgewendet werden konnte, hängt entscheidend mit der einzigartigen strategischen Position zusammen, die Konstantinopel an den Meerengen einnahm. Die Stadt war von Kaiser Konstantin zur zweiten Hauptstadt nach Rom gemacht worden, und sie war zwischen 413 und 443 zu einer starken Landfestung ausgebaut worden. Gestützt auf den Rückhalt dieser Festung, konnte die Regierung des Ostreiches die Ostgoten ähnlich wie früher die Westgoten nach Westen ablenken. Unter Führung des Theoderich nahmen sie im Auftrag von Kaiser Zeno Italien in Besitz (489–493). 497 erkannte Kaiser Anastasius Theoderich als König der Goten an und übertrug ihm unter Vorbehalt des Gesetzgebungs- und Münzprägungsrechts die Regentschaft im Westen. Unter ihm erlebte Italien eine letzte Epoche des äußeren und inneren Friedens (497–526).

Zur gleichen Zeit vollzog sich der Aufstieg des Frankenreiches. König Chlodwig (482–511) unterwarf die Alamannen am Oberrhein (496/97) und gewann 507 durch seinen Sieg über die Westgoten das mittlere und südliche Gallien mit Ausnahme eines am Mittelmeer gelegenen Landstreifens (um Narbonne). Das Westgotenreich fand einen neuen Schwerpunkt in Spanien. Zum Abschluß kam die fränkische Expansion auf römischem Reichsboden 534 mit der Annexion des germanischen Burgunderreichs.

In allen diesen Reichen, die sich im Westen des Imperiums bildeten, standen germanische Stammesverbände der romanischen Bevölkerung gegenüber. Der Differenzierung in zwei Personalverbände, die nach eigenem Recht lebten, entsprach die funktionale Trennung in (germanisches) Militär und (romanische) Zivilbevölkerung. Zu diesen Gegensätzen trat noch eine religiöse Spaltung.

Die Völkerwanderungen brachten dem Westen des Römischen Reiches und der Balkanhalbinsel eine Flut von Zerstörung, Plünderung und Gewalt. Aber dabei konnte es, wie gerade die Führer der germanischen Stämme wußten, nicht bleiben. Gesicherte Lebensverhältnisse waren nur durch Einfügung in die innere Ordnung des Römischen Reiches zu

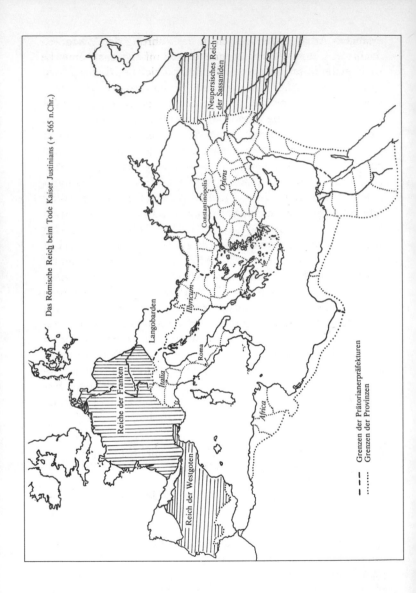

Das Römische Reich beim Tode Kaiser Justinians (+ 565 n.Chr.)

Neupersisches Reich der Sassaniden

Constantinopolis

Oriens

Langobarden

Illyricum

Italia

Roma

Africa

Reiche der Franken

Reich der Westgoten

- - - Grenzen der Prätorianerpräfekturen
.... Grenzen der Provinzen

erlangen. Athaulf, der Alarich in der Führung der Westgoten nachfolgte, äußerte in Narbonne, daß er anfangs das Römische Reich habe zerstören wollen, damit ein Reich der Goten an seine Stelle trete. Aber die mangelnde Gewöhnung seiner Landsleute an Gesetze und Disziplin habe ihn davon überzeugt, daß es besser sei, wenn die Goten das Römische Reich wiederherstellten und aufrechterhielten. Dazu waren freilich weder er noch die späteren germanischen Heerkönige in der Lage. Doch hat die Anerkennung der überlegenen Organisation des Reiches und der Bedeutung des Rechts bewirkt, daß abgesehen vom Frankenreich die sog. germanischen Staaten auf römischem Reichsboden nichts anderes waren als römische Partikularreiche unter germanischen Herrschern. Diese unterschieden sich von den germanischen Heermeistern der spätrömischen Armee vor allem dadurch, daß sie Könige bewaffneter Stammesaufgebote waren. Nicht nur die Grundstrukturen römischer Administration, sondern auch der Gedanke einer kodifizierten Rechtsordnung wurde übernommen. Er fand seine Anwendung nicht nur darin, daß die partikularen Rechte der Personalverbände der Germanen und Romanen in Gesetzbüchern fixiert wurden. Er konnte auch dazu dienen, die beiden Bevölkerungsgruppen mittels einer gemeinsamen Rechtsordnung zu integrieren. Mitte des 7. Jhs. machte der westgotische König Reccesvinth die beiden kodifizierten Volksrechte zur Grundlage eines für Goten und Römer gemeinsamen Gesetzbuches.

Justinians Restauration und der Zusammenbruch des Reiches

Während das Westreich zerfiel, gelang es den Kaisern des Ostreiches, sich von dem übermächtigen Einfluß germanischer Heermeister und Stammeskönige zu befreien. Sie konnten auch den territorialen Bestand des Ostreiches im wesentlichen wahren. Selbstverständlich war das nicht. Denn als die Theodosianische Dynastie 450 erlosch, hatte es zunächst den Anschein, als sei in der Person des germanischen Heermeisters Aspar dem Kaisertum auch im Osten ein Totengräber entstanden. Die

Situation war um so schwieriger, als die Regierung nach dem Tod des Hunnenkönigs Attila (453) Ostgoten und andere Stammesverbände in die Grenzprovinzen an der unteren Donau aufnahm. Beabsichtigt war, die Grenzverteidigung neu zu organisieren und die Rekrutierungsbasis für die Armee zu erweitern. Aber ähnlich wie um 400 die Westgoten entwickelten sich auch die Ostgoten zu einem gefährlichen Unruheherd.

Dennoch wurde das Ostreich aller Krisen Herr. Kaiser Leo (457-474) schuf in Gestalt starker isaurischer Verbände – die Isaurier waren ein kriegerisches Bergvolk in Kleinasien – ein Gegengewicht gegen die Germanen in der Armee, und mit Hilfe eines isaurischen Offiziers, des späteren Kaisers Zeno (474–491), beseitigte er 470 den Heermeister Aspar mitsamt seinem Anhang. Die Ostgoten wurden 489 unter ihrem König Theoderich damit beauftragt, der Herrschaft des Odoaker in Italien ein Ende zu bereiten. Unter Zenos Nachfolger, Kaiser Anastasius (491–518), setzte sich die Stabilisierung des Ostreiches fort. Die Isaurier wurden befriedet, und obwohl der Kaiser an allen Fronten um die territoriale Integrität des Ostreiches kämpfen und auf dem Balkan eine gefährliche Erhebung niederschlagen mußte, gelang es ihm, den Staatshaushalt zu sanieren und eine erhebliche finanzielle Reserve zu hinterlassen. Damit waren die Voraussetzungen geschaffen, die es Kaiser Justinian (527–565) möglich machten, die Rückeroberung des Westens in Angriff zu nehmen.

Justinian stammte aus dem romanisierten Teil der Balkanhalbinsel, einem Gebiet, das eine Hauptrekrutierungsbasis der Armee und die Heimat eines ausgeprägten römischen Traditionalismus war. Justinian steckte sich zwei große Ziele: die Erneuerung des Römischen Reiches und die Wiedergewinnung der orthodoxen Glaubenseinheit. Beide Ziele ergänzten sich in der Vorstellung des Kaisers. Den wahren Glauben durchsetzen hieß, in den Kriegen des Reiches die Hilfe Gottes zu gewinnen, und umgekehrt bedeutete die Rückeroberung des Westens die Befreiung der katholischen Kirche von der Herrschaft der arianischen Ketzer. Mit der Erneuerung des Römischen Reiches war indessen noch etwas anderes gemeint als die Wiederherstellung seines alten territorialen Umfangs: Dem Schutz des Reiches nach außen sollte die Herrschaft des Rechts im Inneren entsprechen. So wurden unter seiner Ägide nicht nur die Juristenschriften und Kaisergesetze kodifiziert, sondern auch die Rechtsordnung weitergebildet und verbessert.

Militärisch gelang Justinian zwar die Rückeroberung Nordafrikas, Italiens und Südspaniens, doch waren alle diese Eroberungen, wie sich schnell herausstellen sollte, eher eine Belastung als ein Gewinn. In Afrika hatten die Vandalen weite Grenzgebiete an die Mauren verloren. Die von Justinian reorganisierte Grenzverteidigung war nicht in der Lage, den alten nordafrikanischen Limes zurückzugewinnen. In Italien wurden die zentralen Ämter des westlichen Kaisertums aufgehoben, das Verwaltungs- und Verteidigungssystem neu geordnet. Allerdings trog die Erwartung, daß das von der langen Kriegszeit stark in Mitleidenschaft gezogene Land für die entstehenden Kosten aufkommen könnte. Die wiedergewonnenen Gebiete kompensierten weder durch ihr Steueraufkommen noch durch die Stellung von Rekruten die vom Osten erbrachten Aufwendungen.

Wenige Jahre nach dem Tod Justinians wurde das Reich von einer neuen Welle der Völkerwanderung getroffen. Ausgelöst wurde sie von dem mongolischen Reitervolk der Awaren in der Theißebene. Ihre Expansion veranlaßte Langobarden und Slawen, sich neue Wohnsitze zu suchen. Weder der Einbruch der Langobarden nach Italien noch die slawische Landnahme auf der Balkanhalbinsel konnten verhindert werden. Der größte Teil Italiens ging bis 578 wieder verloren, die Donaugrenze mußte aufgegeben werden, in Afrika brachen Aufstände der Mauren aus, und mit der Einnahme von Corduba (572) begann die Rückeroberung Südspaniens durch die Westgoten. Zur gleichen Zeit mußten starke Kräfte im Osten gegen eine persische Offensive konzentriert werden. Es zeigte sich, daß das Ostreich, das bis zum Beginn des 6. Jhs. seinen territorialen Bestand und seine fiskalische und militärische Leistungsfähigkeit hatte wahren können, mit Justinians ehrgeizigem Versuch einer Rückgewinnung des Westens seine Kräfte überbeansprucht hatte. Die Folgen beschränkten sich nicht auf den Verlust Italiens und Südspaniens. Der mühsamen Selbstbehauptung gegen das Neupersische Reich folgte der Zusammenbruch im Osten. 622 begann Kaiser Heraklius von Armenien aus seine siegreiche Gegenoffensive gegen die Perser, und im selben Jahr floh Mohammed nach Medina. 630 eroberte er mit seinen Anhängern Mekka. Die nach seinem Tod einsetzende arabische Expansion traf im Osten und Westen zwei tödlich geschwächte Reiche. Das Reich der Sassaniden wurde zwischen 633 und 651 vernichtet und islamisiert. Das Römische Reich verlor den Vorderen Orient, Ägypten und Nordafrika. Es schrumpfte auf ein knappes Drittel seiner Fläche, und es wurde seiner ökonomisch stärksten Provinzen beraubt. Das Byzantinische Reich des Mittelalters trat nach dem endgültigen Fall von Karthago (698) mit einem auf Kleinasien, Griechenland, das Hinterland von Konstantinopel und Teile Italiens beschränkten Territorium in die Geschichte ein.

Das Römische Reich ist, soviel ist evident, einer Kette von Invasionen zum Opfer gefallen. Es war gewiß jedem einzelnen seiner Feinde überlegen. Aber seine Kraft reichte nicht aus, die überdehnten Grenzen an allen Fronten zu schützen und überall dort, wo den Barbaren ein Einbruch gelungen war, militärische Überlegenheit zu zeigen. Dazu trug die faktische Trennung zwischen Ost und West seit 364 entscheidend bei. Aber die Gründe für die Schwäche des Reiches liegen tiefer. Mit dem Weltreich war zwangsläufig die Berufsarmee entstanden – und damit die Arbeitsteilung zwischen dem Militär und dem zivilen Sektor der Gesellschaft. Dieser hatte die Mittel für den Unterhalt des Heeres aufzubringen, aber er bot keine Basis mehr für zeitlich begrenzte Massenaufgebote. Insofern war das Römische Reich der Kaiserzeit potentiell schwächer, als es das römische Italien zur Zeit des Hannibalkrieges gewesen war. Zur strukturellen Schwäche trugen auch die geringe Produktivität der Wirtschaft und die Struktur der Gesellschaft bei. Die bäuerlichen Produzenten trugen letztlich nicht nur die Kosten des stehenden Heeres: Sie erwirtschafteten auch die Überschüsse, in die sich eine reiche Aristokratie, die Städte und, seit Konstantin, die Kirche teilten. Soziale Konflikte blieben nicht aus. In Gallien und Spanien kulminierten sie in den Bagaudenaufständen des 5. Jhs. Diese von der bäuerlichen Bevölkerung getragenen sozialrevolutionären Bewegungen waren Begleiterscheinung einer sich auflösenden inneren Ordnung. Zerstört wurde diese von außen. Es waren die Invasionen der Germanen, der Perser und der Araber, die die verborgenen Schwächen des spätrömischen Reiches an den Tag brachten.

VIII. Das Erbe Roms

Das Römische Reich ist zugrunde gegangen, aber ohne Folgen ist seine Existenz nicht geblieben. Um von der Kontinuität im Bereich der materiellen Kultur abzusehen: Das Erbe Roms wurde die universelle, übernationale Grundlage der nachantiken europäischen Welt. Diese Grundlage bildeten, wie es Leopold von Ranke in seinen Vorträgen „Über die Epochen der neueren Geschichte" von 1854 formuliert hat, die vier großen Produktionen der Kaiserzeit. Gemeint sind die allgemeine (antike) Weltliteratur, das römische Recht, das Kaisertum und die christliche Kirche.

Am augenfälligsten ist die religiöse Kontinuität. Das Dogma und die Kirchenverfassung der Christenheit waren im spätrömischen Reich entstanden, und auf ihrer Grundlage verbreitete sich die neue Religion unter den germanischen und slawischen Völkern. Erhalten blieb auch die enge Verbindung von weltlicher und geistlicher Gewalt. Selbst die unterschiedliche Entwicklung, die der Westen und der Osten des Reiches nahmen, behielt für die Ausgestaltung der katholischen und orthodoxen Kirche prägende Kraft. Im Westen hatte das frühe Ende des Kaisertums der katholischen Kirche und dem Papst ein höheres Maß an Unabhängigkeit von der weltlichen Gewalt ermöglicht, als es im Osten jemals erreicht wurde. Hier war die Unterordnung des Patriarchen von Konstantinopel unter den Kaiser Vorbild auch für die orthodoxen Kirchen in den ost- und südslawischen Reichen. Und auch darin zeigte sich die Macht der im Römischen Reich geprägten Unterschiede zwischen Ost und West: Während in den orthodoxen Kirchen der Gebrauch der Volkssprachen üblich wurde, hielt die katholische Kirche am Lateinischen als der universalen Sprache des Kultes und der höheren Bildung fest.

Mit dem Kaisertum blieb der Anspruch universaler Herrschaft über die rechtgläubige Christenheit verknüpft, und mit diesem wiederum verband sich die Idee der Herrschaftsübertragung (*translatio imperii*) auf die fränkischen bzw. deutschen Könige im Westen und auf die russischen Zaren im Osten.

Die originärste Schöpfung der Römer war das römische Recht. An seiner Ausbildung hatten viele Jahrhunderte gearbeitet, und getragen wurde diese Arbeit von einem Juristenstand, mit dem das Kaisertum ein enges Bündnis eingegangen war. Seine Anfänge gehen bis auf Augustus zurück. Hadrian hatte es im Zuge einer Verwaltungsreform so eng geknüpft, daß die Arbeit der Juristen unmittelbar Eingang in die kaiserliche Regierungstätigkeit fand. In der Spätantike wurden die Früchte dieses langdauernden Bündnisses eingebracht, und in Gestalt der Rechtskodifikation Kaiser Justinians sind sie auf die Nachwelt gekommen. Sie besteht neben einem einführenden systematischen Lehrbuch, den *Institutionen*, aus den Sammlungen der Kaisergesetze, dem *Codex Justinianus*, und aus den nach Sachgebieten geordneten Auszügen aus den Schriften der großen römischen Juristen, den sog. *Digesten*. Die Rezeption des römischen Rechts in der nachantiken Welt ist auf das engste mit der Ausbildung des modernen Territorialstaates und des modernen Privatrechts verbunden. Auch wenn die Digesten nicht mehr unmittelbar geltendes Recht sind: Auf ihrer Grundlage ruht im wesentlichen unser im Bürgerlichen Gesetzbuch kodifiziertes Privatrecht.

Die Rezeption des römischen Rechts in Europa war ein langdauernder komplizierter Prozeß. Ähnlich steht es mit dem literarischen und künstlerischen Erbe Roms. Römische Literatur und Kunst setzt das griechische Vorbild voraus. Formal und stofflich durchdrangen sich Griechisches und Römisches, und als sich in der Spätantike die enge geistig-kulturelle Symbiose zwischen dem griechischen Osten und dem lateinischen Westen auflöste, blieb doch ihre Frucht in dem von der Kirche geretteten literarischen Erbe erhalten. Der Zugang zu den großen philosophischen Systemen, zur Wissenschaft, Dichtung und Geschichtsschreibung der Antike war mit dem Untergang des Römischen Reiches nicht endgültig verschüttet, und das römische Erbe der lateinischen Reichshälfte konnte durch das von Byzanz bewahrte griechische ergänzt werden. Realisiert wurde diese Möglichkeit am umfassendsten im Zeitalter der Renaissance. Zur Hinterlassenschaft Roms und des Römischen Reiches gehören nicht nur die romanischen Sprachen und die Latinisierung des Wortschatzes anderer europäischer Sprachen, sondern auch der starke antike Einschlag, den das philosophische und begriffliche Denken, die politische Theorie, die Literatur, die Architektur und die bildende Kunst Europas bis auf den heutigen Tag aufweisen.

IX. Nachwort

Bei der Abfassung dieser kurzgefaßten Römischen Geschichte habe ich mich vielfältiger Unterstützung von Mitarbeitern des Seminars für Griechische und Römische Geschichte in Frankfurt und des Lektorats des Beck Verlags erfreuen dürfen. Ich danke insbesondere Frau Irmgard Staub, die das Manuskript in eine für den Setzer brauchbare Vorlage verwandelte, Herrn Peter Scholz, der die Karten zeichnete, und Frau Nicole Lambert, die das Korrekturlesen übernommen hat. Nicht zuletzt gilt mein Dank auch den Mitarbeitern des Verlagslektorats, vor allem Herrn Dr. Stefan von der Lahr.

Diese Römische Geschichte ist unter Konzentration auf das Wesentliche und unter Verzicht auf alle Interna der wissenschaftlichen Diskussion geschrieben worden. Niemand weiß besser als der Verfasser, daß der vom Verlag vorgegebenen Kürze der Darstellung vieles, auch Wichtiges, zum Opfer fallen mußte. Ob es gelungen ist, in diesem schmalen Band ein Bild der 1200jährigen Geschichte Roms und des Römischen Reiches zu vermitteln, möge der geneigte Leser entscheiden.

Frankfurt, im Dezember 1994   *Klaus Bringmann*

Zeittafel

Rom und Italien

7./6. Jh. v. Chr.?	Gründung der Stadt Rom
um 470?	Ende des etruskischen Stadtkönigtums
um 450	Kodifizierung des Rechts (Zwölftafelgesetz)
387	Einnahme Roms durch die Kelten
340–338	Latinerkrieg und Inkorporierung der latinischen Städte in das römische Bürgergebiet
326–304 u. 298–290	Samnitenkriege
280–272	Krieg mit Pyrrhos von Epirus, Samniten und Lukanern: Unterwerfung Süditaliens

Rom und die Mittelmeerwelt

264–241	Erster Punischer Krieg
241/237	Beginn der römischen Herrschaft auf Sizilien, Sardinien und Korsika
229	Erster Illyrischer Krieg
225–222	Keltenkrieg
219	Zweiter Illyrischer Krieg
218–201	Zweiter Punischer Krieg: Beginn der römischen Herrschaft auf der Iberischen Halbinsel
200–197	Krieg mit Philipp V. von Makedonien
191–188	Krieg mit Antiochos dem Großen
171–168	Krieg mit Perseus von Makedonien: Ende der makedonischen Monarchie
149–146	Dritter Punischer Krieg
146	Zerstörung Karthagos und Korinths: Errichtung der Provinz Africa
133–123	Errichtung der Provinz Asia
112–105	Jugurthinischer Krieg in Nordafrika
102/101	Vernichtung der Kimbern und Teutonen
87–83 u. 74–64	Kriege mit Mithridates von Pontus
63	Neuordnung des Ostens durch Pompeius

Die Krise der Republik

133 u. 123/22	Reformversuch des Ti. und C. Gracchus
100	Gescheiterte Wiederaufnahme der gracchischen Politik
91	Reformversuch des Livius Drusus
91–89	Bundesgenossenkrieg

Die Kaiserzeit

Die Spätantike

Hinweise auf weiterführende Literatur

Eine moderne Darstellung aus einem Guß, die die Tektonik der gesamten römischen Geschichte klar heraustreten läßt, ist A. Heuß zu verdanken: *Römische Geschichte, Braunschweig 1960 (zuletzt in 4. Auflage 1976).* Das Werk enthält auch eine vorzügliche Einführung in die Schwerpunkte und Probleme der Forschung. Auf einer Dreiteilung in Darstellung, Grundprobleme und Tendenzen der Forschung sowie Quellen und Literatur beruhen auch die der römischen Geschichte gewidmeten 3 Bände der Oldenbourg-Reihe „Grundriß der Geschichte“: J. Bleicken, *Geschichte der Römischen Republik (1980, 4. Auflage 1992);* W. Dahlheim, *Geschichte der Römischen Kaiserzeit (1984),* sowie J. Martin, *Spätantike und Völkerwanderung (1987, 2. Auflage 1990).* Verfolgt wird die Absicht, eine verhältnismäßig knappe Darstellung des historischen Geschehens mit einer Summe des gegenwärtigen Forschungsstandes zu verbinden. Durch starke Betonung der zivilisatorischen Dimension der römischen Geschichte zeichnet sich aus: K. Christ, *Die Römer. Eine Einführung in ihre Geschichte und Zivilisation, München 1979 (zuletzt in 3. Auflage 1994).*

Eine breit angelegte, auf dem vorhandenen Quellenmaterial basierende Römische Geschichte von den Anfängen bis zu Kaiser Justinian gibt es nicht. Für die Republik ist das Ideal großer Historiographie von Th. Mommsen, *Römische Geschichte, 3 Bde. in 5 Büchern, Leipzig 1854-1856,* am besten verwirklicht (obwohl sie, unnötig zu sagen, dem modernen Forschungsstand in vielen Punkten nicht mehr entspricht). Das Werk ist zuletzt *1976* von K. Christ in *dtv 6053-6060* zusammen mit dem *1885 veröffentlichten 5. Band* – er enthält die Geschichte der römischen Provinzen in der Kaiserzeit – herausgegeben worden. Die umfangreichste Darstellung der Kaiserzeit in deutscher Sprache hat vor wenigen Jahren K. Christ vorgelegt: *Geschichte der Römischen Kaiserzeit von Augustus bis Konstantin, München 1988 (2. Auflage 1992).* Ein ebenso knappes wie instruktives Verzeichnis der römischen Kaiser hat O. Veh für die Artemis-Reihe „Lebendige Antike“ verfaßt: *Lexikon der römischen Kaiser, Zürich–München 1976 (3. Auflage 1990).*

Die Spätantike ist durch den Reichtum erhaltener Quellen begünstigt. Ausgeschöpft worden ist er von A. H. M. Jones, *The Later Roman Empire. A Social, Economic and Administrative Survey, Oxford 1964.* Bedauerlicherweise ist dieses grundlegende Werk nicht ins Deutsche übersetzt worden. Doch besitzen wir neuerdings, im Rahmen des „Handbuchs der Altertumswissenschaft“, die gute, auch über Quellen und wissenschaftliche Literatur orientierende Darstellung von A. Demandt, *Die Spätantike. Römische Geschichte von Diokletian bis Justinian 284–565 n. Chr., München 1989.* Unter dem Aspekt von Niedergang und Zusammenbruch steht das große Werk von E. Gibbon, *The History of the Decline and Fall of the Roman Empire, 6 Bde., London 1776–1788* (seitdem zahlreiche Nachdrucke, u. a. in *Everyman's Library 434–436* und *474–476*). Das Werk, eine herausragende historiographische Leistung des 18. Jhs., reicht bis zur Eroberung Konstantinopels durch die Türken (1453). Da zur Zeit Gibbons die literarischen Quellen zur Geschichte der Spätantike am besten erschlossen waren, vermögen auch heute noch die entsprechenden 3 ersten Bände am stärksten zu faszinieren. Nicht zu Unrecht beschränkt sich die in der Reihe „Die andere Bibliothek" in deutscher Übersetzung vorliegende Auswahl: E. Gibbon, Verfall und Untergang des Römischen Reiches, hrsg. von D. A. Saunders, aus dem Englischen von J. Sporschill, Nördlingen 1987, *im wesentlichen auf die Zeit bis 476 n. Chr. Über die zahlreichen Versuche, den Ursachen des Untergangs des Römischen Reiches auf die Spur zu kommen, hat A. Demandt ein umfangreiches, streckenweise höchst amüsantes Buch geschrieben:* Der Fall Roms. Die Auflösung des Römischen Reiches im Urteil der Nachwelt, München 1984.

Das moderne Interesse an den strukturellen Gegebenheiten der Geschichte gilt im Falle Roms besonders den drei Aspekten Verfassung, Gesellschaft und Wirtschaft. Zur Einführung besonders geeignet sind: J. Bleicken, *Die Verfassung der Römischen Republik, UTB 460 (1975, 6. Auflage 1993);* ders., *Verfassungs- und Sozialgeschichte des Römischen Kaiserreichs, UTB 838/839 (1979, 3. Auflage Bd. I 1989, Bd. II 1994)* sowie der von F. Vittinghoff im Rahmen des „Handbuchs der europäischen Wirtschafts- und Sozialgeschichte" herausgegebene 1. Band: *Europäische Wirtschafts- und Sozialgeschichte in der römischen Kaiserzeit, Stuttgart 1990.*

Über eine eigene bedeutende historiographische Tradition verfügt die antike Kirchengeschichte. Auf sie kann in diesen knappen Hinweisen nicht eingegangen werden. Erwähnt werden soll jedoch C. Andresen, *Die Kirchen der alten Christenheit,* in: *Die Religionen der Menschheit, Bd. 29, 1/2, Stuttgart 1971* (der vergleichenden Darstellung der frühkatholischen, der römisch-katholischen und der byzantinisch-orthodoxen Kirche gewidmet).

Personenverzeichnis

Römische Kaiser

Anastasius I., Augustus, Aurelian, Caligula, Caracalla, Claudius, Commodus, Diokletian, Domitian, Eugenius, Galerius, Gallienus, Hadrian, Honorius, Julian, Justin I., Justinian, Konstantin d. Gr., Leo I., Licinius, Marc Aurel, Maxentius, Maximian, Maximinus Daia, Nero, Nerva, Phokas, Postumus, Romulus Augustulus, Septimius Severus, Severus Alexander, Theodosius I., Tiberius, Trajan, Valens, Valerian, Vespasian, Zeno

Auswärtige und reichsangehörige Dynasten und Dynastien

Agathokles, Alexander I., Alexander III. d. Gr., Antigoniden, Antiochos III., Ardaschir, Arminius, Attalos I., Attalos III., Attila, Decebalus, Dorieus, Hasmonäer, Herodes d. Gr., Hieron I., Jugurtha, Kleonymos, Kleopatra VI., Massinissa, Mithridates VI., Nikomedes IV., Odaenathus, Philipp V., Ptolemäer, Ptolemaios I., Ptolemaios IV., Pyrrhos I., Schapur I., Seleukiden, Teuta, Zenobia

Germanische Heermeister und Könige der Spätantike

Alarich, Arbogast, Aspar, Athaulf, Chlodwig, Eurich, Geiserich, Odoaker, Reccesvinth, Stilicho, Theoderich